DEIXAR DE SER GORDO

Dados Internacionais de Catalogação na Publicação (CIP)
(Câmara Brasileira do Livro, SP, Brasil)

Gikovate, Flávio, 1943-
Deixar de ser gordo / Flávio Gikovate. – São Paulo : MG Editores, 2005.

ISBN 978-85-7255-043-7

1. Emagrecimento 2. Emagrecimento – Aspectos psicológicos 3. Obesidade 4. Obesidade – Aspectos psicológicos I. Título

05-4401 CDD-155.916

Índice para catálogo sistemático:

1. Obesidade e emagrecimento : Aspectos psicológicos 155.916

DEIXAR DE SER GORDO

Flávio Gikovate

DEIXAR DE SER GORDO

Assistência editorial: **Soraia Bini Cury**
Assistência de produção: **Claudia Agnelli**
Capa: **Alberto Mateus**
Projeto gráfico e diagramação: **Crayon Editorial**
Fotolitos: **Join Bureau**

MG Editores
Departamento editorial:
Rua Itapicuru, 613 – 7º andar
05006-000 – São Paulo – SP
Fone: (11) 3872-3322
Fax: (11) 3872-7476
http://www.mgeditores.com.br
e-mail: mg@mgeditores.com.br

Atendimento ao consumidor:
Summus Editorial
Fone: (11) 3865-9890

Vendas por atacado:
Fone: (11) 3873-8638
Fax: (11) 3873-7085
e-mail: vendas@summus.com.br

Impresso no Brasil

sumário

apresentação

Neste livro você não encontrará tabelas indicando o número de calorias existentes em certa quantidade de cada alimento. Também não encontrará referências às balanças e ao número de vezes por mês que devemos nos pesar. Nem encontrará listas para contar "pontos" próprios de cada tipo de comida. Tampouco encontrará sugestões para jejuns ou truques — por vezes ardilosos — para tapear a fome. E também não encontrará fórmulas de "desintoxicação" pelo consumo de apenas um tipo de fruta para perder peso.

Quase todas as pessoas obesas já tentaram um ou vários métodos para emagrecer, dietas dessa ou daquela natureza, mas continuam gordas.

Até os que mais se empenharam em algum tipo de tortura própria dos regimes comuns acabaram, ao fim de alguns meses, um pouco mais gordos do que eram. **Assim, não é absurdo pensar que as dietas para emagrecer engordam. Aliás, parece que só o fato de pronunciar as palavras "dieta" e "regime" já provoca o aumento de peso.** Em uma das primeiras viagens que fiz a Nova York, para onde vou regularmente há quase vinte anos, constatei o seguinte: os magros comem de tudo — na hora do almoço ingerem hambúrguer com batatas fritas, refrigerante, cachorro-quente, café com bastante açúcar e torta de sobremesa. Os gordos, sempre meio tristes e olhando o prato dos outros, comem salada com pouco tempero e tomam refrigerantes dietéticos; o café sempre é adoçado artificialmente. Qualquer observador menos avisado diria que salada e refrigerante dietético compõem uma refeição que engorda tremendamente! Convém relembrar que os Estados Unidos sempre foram os reis das dietas e também da obesidade, cujo índice não pára de crescer.

Estou convencido de que mesmo essas refeições singelas e desinteressantes sejam capazes de provocar obesidade. É claro que isso não acontece em decorrência da quantidade de calorias que contêm, mas sim por outros fatores que apresentarei no percurso que me propus: o de entender os elementos psíquicos que fazem parte dessa complexa questão que é a obesidade. As metas deste livro são exatamente: compreender as causas emocionais que podem levar uma criança ou um adulto a comer demais e ganhar peso; decifrar os fatores perpetuadores dessa tendência iniciada em dado momento da vida de uma pessoa; e, o que é mais importante, sugerir os caminhos para desfazer os nós e círculos viciosos que esses processos crônicos constroem.

Este não é apenas um livro com sugestões para que um gordo consiga emagrecer. É muito mais pretensioso: é para quem quer deixar de ser gordo.

As observações que se seguem levam em conta apenas os aspectos emocionais da obesidade. Sou médico e, apesar de psiquiatra, não poderia deixar de respeitar as pesquisas e os avanços no estudo do tema feitos por endocrinologistas e outros especialistas — que têm muito mais autoridade para se manifestar sobre suas respectivas áreas. Sei também que as doenças e disfunções crônicas tendem a apresentar múltiplas causas, o que as predispõe a se perpetuar. Esta obra, porém, é dedicada apenas aos gordos que não apresentam grandes sinais de disfunções orgânicas e que, penso, são a grande maioria.

Flávio Gikovate
junho de 2005

Deixar de ser gordo

1 um

UMA HISTÓRIA CLÍNICA

O objetivo deste capítulo é tentar descrever como uma pessoa se tornou gorda. Eu poderia contar qualquer uma das centenas de histórias que já tive oportunidade de ouvir. Mas prefiro contar a do meu cliente favorito: eu mesmo. É evidente que meu interesse pelo tema não é casual! Sinto-me confortável para descrever minhas mazelas como gordo porque as outras histórias que conheço me permitem afirmar que a minha é típica e corresponde a uma das variantes mais comuns.

Fui uma criança normal — ao menos no que diz respeito ao peso corpóreo — até os 7 anos de idade. Nessa época, em decorrência de conflitos emocionais que mais tarde vim a compreender melhor, comecei a ganhar peso. Até então eu comia de tudo e adorava chocolate, que sempre ganhava como prenúncio de que estava chegando a hora de ir dormir; comia o que me davam e não me lembro de ter pedido mais do que a cota parcimoniosa que eu ganhava. De antes desse período, não tenho outras lembranças pessoais sobre alimentação; sei que comia de tudo, que gostava de comer e que não era gordo nem magro.

Outras lembranças existem, mas são relativas a meus parentes. Minha mãe era gordinha e não gostava de ser assim. Vivia fazendo dietas mas também era freqüente que escondesse doces de todo mundo e os devorasse às escondidas. Meus pais eram imigrantes e meu pai havia passado fome na sua infância na Europa durante a Primeira Guerra Mundial; apesar disso, era de peso normal e sempre comeu de tudo. Minha mãe não havia passado fome e era gordinha; nunca comeu de tudo e não me lembro de vê-la contente com seu peso.

Meus tios moravam na casa ao lado. Meu tio era o irmão mais novo do meu pai. Não sei se ele também passou fome quando criança, mas era gordo e estava sempre fazendo regime; lembro-me de que deixava de almoçar e só jantava. Gostava de comer muito e, mesmo com todo o sacrifício, sempre estava acima do peso. Não me lembro de minha tia se incomodar com o assunto no que dizia respeito a ela mesma. Eu tinha muitos problemas com meu primo. Éramos da mesma idade; ele nunca queria comer e, quando forçado, com freqüência vomitava. Na hora do almoço ele era levado para o muro da frente da casa, não muito alto, onde se sentava — já tinha 5 ou 6 anos de idade. As colheradas de comida viravam aviãozinho e, ao aterrissarem na sua boca, ele a fechava com severa careta; depois de muito tempo e muitos gritos ele comia o mínimo. À noite se repetia todo o ritual. Na minha casa se dizia que essa atitude do meu primo era "pirraça" e eu não entendia o que isso significava; outras vezes minha mãe maldosamente afirmava, meio de brincadeira, que o menino não comia porque a comida da minha tia era muito ruim, com o que eu não concordava, uma vez que adorava seus bolinhos de carne. Às vezes comia o que sobrava das "manhas" do meu primo.

Sempre assisti às peripécias da vida familiar com grande perplexidade, observando tudo e entendendo muito pouco. Elas, como na maior parte das famílias, eram bastante complexas e envolviam muitos outros temas além dos relativos à alimentação. Voltando a mim — e ao assunto — já disse que tinha peso normal até os 7 anos de idade. De repente, comecei a engordar, e isso logo chamou a atenção de minha mãe, sempre preocupada com a obesidade. Hoje penso que o fato de ela ter se preocupado tenha sido importante na minha história, pois era nessa idade que as crianças daquele tempo — falo de 1950 — começavam a ficar mais independentes e podiam afastar-se mais de casa, brincar e jogar futebol nos campos existentes em quase todos os bairros de uma São Paulo de menos de 2 milhões de habitantes. Não creio que eu tenha gostado muito dessa independência: era filho único e muito ligado aos meus pais.

É curioso observar como não existe uma tendência espontânea em nossa espécie no sentido da independência; ela tem de ser estimulada o tempo todo: até mesmo para aprender a andar é necessário que a mãe faça esforços, impondo a posição ereta, reforçando com carinhos os bons resultados. A criança só quer é ficar no colo; mas depois que aprende a ser mais auto-suficiente até gosta, se bem que em qualquer idade estamos sujeitos a recaídas regressivas.

De todo modo, esse período da vida é bastante delicado, e aprendi depois que são muitas as crianças — especialmente meninos — que compensam suas insatisfações e inseguranças comendo demais. O meu fraco não eram os doces, e sim os salgados. Eu gastava todo o meu — pouco — dinheiro com comida, tanto na cantina da escola como nos bares perto de casa. Quanto mais se preocupavam comigo, mais eu comia. Comia depressa, ingeria grandes quantidades de qualquer coisa. Passei a ir à feira com minha mãe — isso lá pelos 8 ou 9 anos de idade — e, como prêmio pela ajuda que lhe dava, ganhava uma melancia! Não era raro que comesse metade dela de uma só vez ao chegarmos em casa. Mais tarde eu comia a outra metade, isto, é claro, sem prejuízo das refeições normais, nas quais eu ingeria quantidades crescentes de tudo.

Fui me tornando um gordo, de corpo e de espírito. Comecei a me entristecer com o meu aspecto. Tentava comer menos por um ou dois dias, depois não resistia à tentação e voltava a me empanturrar. O desespero de comer cada vez mais só crescia. Muitas foram as vezes em que eu, como um viciado, roubava dinheiro do bolso da calça de meu pai quando ele ia para o banheiro logo de manhã. Fiz isso por anos a fio e ele, se percebia, nunca reclamou comigo. À tarde, depois da escola, tomava o ônibus e, sozinho, ia para o centro da cidade transformar o fruto do meu roubo em pastéis, empadas, sanduíches, guaraná e caldo de cana. Creio que ia sozinho porque experimentava estranhas e contraditórias sensações ao me ver perdido na multidão de transeuntes do centro da cidade, identificado com aquela gente toda e, ao mesmo tempo, com o buraco no estômago próprio da sensação de desamparo. A sensação era vivida como agradável, apesar da dor. Quando o vazio ficava quase insuportável eu me entupia de comida; aí o buraco desaparecia e eu voltava para casa. Nessa época já tinha arrependimentos, sabia que estava comendo demais, voltava com remorsos, prometia a mim mesmo que isso não ocorreria mais, e todos esses bons propósitos duravam, no máximo, três dias.

Ia sozinho porque tinha poucos amigos e eles prefeririam ficar brincando na rua a experimentar a sensação de desamparo no meio do povo. Eu é que era meio esquisito e, aos meus olhos de hoje, talvez um tanto metido. Além do mais, o programa que fazia era clandestino, gastando um dinheiro roubado que ninguém podia saber que eu tinha. Do que me lembro, nunca senti grandes remorsos por roubar meu pai — raramente roubava de minha mãe, talvez por achar que ela tinha menos do que ele. Ao menos nas aparências, meu pai era desprendido materialmente e não almejava ser rico; minha mãe era muito ambiciosa e com freqüência demonstrava claramente sua insatisfação com a pouca força que meu pai fazia para satisfazer as expectativas dela nesse setor. Criei-me de modo confuso e contraditório também em relação ao dinheiro: muito ligado a ele e ao mesmo tempo crítico quanto ao seu significado e sua real importância. Não me parece impossível que alguns aspectos da nossa relação com o dinheiro tenham a ver com as questões emocionais infantis ligadas tanto à ingestão como à eliminação da comida.

Gostava de jogar futebol, mas, devido ao meu físico, fui me concentrando cada vez mais no papel de goleiro. Não tinha mobilidade para outras funções e isso também me entristecia muito. Prometia a mim mesmo que começaria uma dieta. Esforçava-me por um ou dois dias e depois não resistia. Isso começou a me deprimir muito, pois me considerava um fraco, sem força de vontade. O curioso é que eu tinha disciplina para muitas das outras coisas da vida: conseguia acordar cedo sozinho, era bom aluno, ordeiro em casa etc. Mesmo assim, o fracasso quanto ao domínio da alimentação me arrasava e minha auto-estima vivia lá embaixo.

Como se não bastasse isso, começaram a se intensificar as gozações e proliferaram os apelidos relativos ao meu corpo. Uma prima minha que morava no Rio de Janeiro e que com freqüência passava férias em minha casa começou a me chamar de "gordura de coco Brasil" — uma marca de banha que se usava na cozinha —, e isso me arruinava por dentro. O apelido pegou e logo um bando de moleques me chamava assim. Sentia-me derrotado, deprimidíssimo e cada vez mais compelido a reincidir nos meus passeios pela cidade, em que eu comia na proporção de minhas frustrações e na medida da féria apurada com o roubo do dia.

A questão alimentar passou a ser tema de preocupação diária; aliás, ocupava minha mente várias vezes por dia. E isso me acompanhou até os meus 30 e tantos anos de idade, quando finalmente consegui começar a reverter esse quadro. Ou seja, uma função natural e espontânea, ligada à resolução da necessidade de sobrevivência e também a prazeres gustativos, se transformou numa obsessão para mim. Deveria evitar determinadas comidas, porque elas engordavam mais; deveria comer bastante salada; nada das massas que eu tanto adorava e que, talvez devido à proibição, passei a adorar mais ainda. Isto pode, aquilo não; mas aquilo é tão gostoso! Não resistia, comia, me deprimia, fazia votos de me emendar, não os cumpria e me deprimia mais ainda. Mas na segunda-feira de novo eu tentava começar um regime de poucas calorias; não tinha sucesso e novamente me sentia um verme. Não desistia e tentava de novo, e o resultado era o mesmo. No fim das contas estava cada vez mais gordo. Acho que cheguei a ficar uns 30% acima do peso ideal para a minha idade.

Ficava cada vez mais claro para mim que os gordos eram uma "raça" à parte. Todos riam deles, que eram objeto de todo tipo de gozações. Até hoje não entendo as razões que fazem que meninos entre 8 e 13 anos gostem tanto de brincadeiras agressivas e maldosas, se divirtam tanto em humilhar seus colegas. Custa-me entender qualquer tipo de hostilidade gratuita, que não seja reação a alguma ação agressiva inicial.

Ser gordo significava ser estigmatizado, do mesmo modo que ser de uma raça, religião ou nacionalidade. Isso leva o gordo a se aproximar e a se tornar amigo de outro gordo. Assim aconteceu comigo, de modo que o meu melhor amigo de infância também era gordo. Quando eu tinha talvez uns 11 anos, ele se determinou a emagrecer; pulava corda o dia inteiro, fez direito a dieta — não sei onde ele arrumava forças para isso — e em poucas semanas estava "normal". Isso me deprimiu bastante; senti-me traído, abandonado e, naturalmente, comia mais ainda. Aos poucos fui me afastando dele, que, com afinco, se dedicava cada vez mais aos esportes; eu, ao contrário, me isolava cada vez mais, quase que só estudava e fazia minhas andanças pelo centro da cidade.

Cheguei à puberdade já bastante complexado e cheio de sentimentos físicos de inferioridade. Muitas das lembranças que guardo dessa época são tenebrosas; só mais tarde vim a saber que era coisa usual, ao menos para a maior parte dos rapazes. O desejo sexual pegou-me desavisado: sentia-me fortemente atraído pelas mulheres em geral, mas elas nem me notavam. Ao tentar fazer qualquer tentativa de aproximação, era rechaçado com veemência. As que aceitavam minhas investidas eram prostitutas e só se interessavam mesmo pelo dinheiro. Aliás, foi com uma delas que me iniciei sexualmente, no cais do porto de Santos, lá pelos 14 anos de idade. Surpreendo-me até hoje quando penso no acontecido, pois consegui ser aprovado no difícil teste de virilidade apesar de as condições objetivas serem as piores possíveis: eu e meu primo (o mesmo que não gostava de comer), com pouco dinheiro, ocupamos as duas camas de um mesmo quarto, tendo como parceiras duas mulheres malcheirosas e desdentadas, uma delas grávida.

Eu desejava loucamente as mulheres e elas me rejeitavam; ou melhor, nem sequer me olhavam. Para mim, a explicação para essa situação dolorosa e humilhante era simples: isso acontecia porque eu era gordo. Se fosse magro, teria mais sucesso e as meninas me desejariam, já que eu observava que os esbeltos, altos e bons de papo se saíam bem melhor. Só muitos anos mais tarde é que vim a compreender que existe uma diferença entre a natureza do desejo sexual masculino e do feminino e que muitos homens sentem-se humilhados — ao menos durante a adolescência — por não serem desejados do mesmo modo que desejam. Quando percebi essas características da nossa biologia, o que ficou claro para mim no Natal de 1979, durante uma das viagens a Nova York (onde eu sempre gostei de percorrer todos os locais que comercializam produtos eróticos), entrei num estado depressivo que durou quase o ano de 1980 inteiro. Não sei se isso aconteceu por causa da consciência clara das desvantagens da condição masculina ou porque percebi quanto tinha sofrido à toa durante a adolescência, sentindo-me a pior das criaturas, a mais infeliz.

Percebi que minha situação com as mulheres só melhoraria se eu conseguisse algum tipo de sucesso pessoal, e a isso me dediquei com afinco, usando o meu "lado forte", ou seja, o intelectual (meu corpo, para mim, estava abaixo da crítica). Estudei, entrei na faculdade de medicina, ganhei um carro e as coisas melhoraram, mas só um pouco. Sempre me sentia gordo, feio, chato e desinteressante. Durante os anos da adolescência, consegui emagrecer um pouco; passei a ter um peso cerca de 15% acima do meu peso ideal e assim me mantive até 1973, quando já tinha 30 anos de idade.

Minhas caminhadas solitárias pelo centro da cidade não cessaram; apenas mudaram de percurso. Agora eu adorava andar pelas ruas onde se concentravam as prostitutas, passeava por ali como se fosse do ramo, conhecedor antigo. Eu que era quase virgem, cada vez mais tímido e introvertido, cada vez mais convencido de que as moças me achavam feiíssimo e chato (acho que, para o gosto da maioria delas, eu era mesmo um chato, pois gostava de uns livros esquisitos e sempre tive poucos assuntos em comum com as pessoas da minha idade), passeava com aparente naturalidade por entre prostitutas, bêbados e policiais. Gostava de estar ali, de entrar num daqueles bares sujos, comer um sanduíche de mortadela e beber refrigerante. Passeava e comia e, de vez em quando, ousava dar uma investida sexual em uma das mulheres do "pedaço". Elas podiam não ser muito carinhosas, mas era certo que não me rechaçariam.

Quando não estava estudando nem passeando pela cidade, estava no meu quarto ouvindo música sozinho, cheio de sonhos românticos, esses claramente distintos dos devaneios eróticos. Os anseios amorosos também me provocavam um "buraco" no estômago, dor que eu sempre registrei como agradável, mas que sempre me deu muita vontade de comer. Dividia esses desejos com dois amigos íntimos, praticamente as únicas pessoas com as quais eu era mais sincero. Esses amigos eram magros e eu admirava muito seu porte e elegância — hoje saberia dizer com clareza que, além da amizade sincera, eu os invejava profundamente. Nessa ocasião, eu já tinha verdadeira aversão aos gordos; eu, que era um deles. Jamais me interessei por mulheres mais cheinhas, com seios grandes e quadris largos. Meu ideal estético e erótico já estava composto: mulheres macérrimas e de formas discretas. E meus sentimentos de inferioridade se reforçavam a cada dia, gerando estímulos compensatórios dirigidos para a área intelectual, em que eu me saía bem. A timidez com as mulheres era crescente. Namorei poucas e me casei aos 21 anos de idade.

Nas férias eu ia para a praia. Meus pais tinham um apartamento no Guarujá e lá eu ficava durante todo o verão. Era uma tortura. Eu morria de vergonha de tirar a camisa, pois o grosso das minhas gorduras extraordinárias se depositava no abdome e no peito. Todo mundo me gozava por causa das "banhas" e também porque eu vivia vestido até a hora de entrar no mar; e fazia isso correndo, evitando ser observado com atenção. Inventava mentiras, dizia que tinha a pele muito delicada, que estava com queimaduras etc. Não enganava ninguém, muito menos a mim. Além disso, vivia cheio de cacoetes e isso também era objeto de chacotas.

Na praia, rapazes e moças paqueravam muito. Eu, a partir dos 15 ou 16 anos de idade, já nem tentava mais. Era do tipo que ficava amigo das moças, uma vez que achava que não tinha chance nem de sonhar com algo a mais. Apaixonei-me por uma menina nessa época; é evidente que ela jamais soube disso. Ousei paquerar algumas empregadas domésticas e com algumas delas consegui certa intimidade física.

Olhando retrospectivamente, nessa época eu era apenas gordinho e não o obeso deformado e monstruoso que eu me achava. Essa sensação subjetiva de ser muito mais gordo do que de fato era me acompanhou até há bem pouco tempo. Como regra, cada vez que a balança acusava 1 ou 2 quilos a mais, eu me olhava no espelho e me achava parecido com um barril. Nessa ocasião, portanto, eu já era um gordo de espírito, e mesmo que estivesse mais magro não acreditava muito nisso, pois minha auto-imagem estava comprometida com a obesidade. Mais tarde aprendi que se trata de um fato muito comum: o gordo emagrece e continua a se achar gordo; continua obcecado com o que ingere e não consegue se apaziguar e se desligar do assunto. Pensa nele o tempo todo, exatamente como se ainda fosse gordo.

Minha adolescência e mocidade terminaram cedo, pois me casei e tive de ganhar a vida. Trabalhei muito e posso dizer que dos 20 aos 30 anos de idade preocupei-me menos com minha aparência. Continuei gordinho (entre 10% e 15% além do peso ideal) e me achando obeso; entristecia-me com isso; continuava a ter certa vergonha de ficar só de calção na praia ou numa piscina; ainda me achava desinteressante para as mulheres, mas aos poucos fui me tornando um pouco mais ousado. Tive sucesso profissional rapidamente e isso me deu muito alento; minha auto-estima melhorou bastante. Nas horas de trabalho nunca sentia fome, de modo que eram poucas as ocasiões em que comia demais. Quando isso acontecia, eu ficava deprimido, fazia votos de me emendar, não conseguia e me sentia arrasado de novo. Fazia dietas periódicas, emagrecia um pouco e depois voltava a engordar tudo outra vez. Eu melhorava, mas minha relação com a comida era a mesma: comia muito, especialmente à noite; de manhã cedo, minha força de vontade era maior e eu tinha menos apetite (sempre fui do tipo que acorda bem-humorado, otimista e cheio de esperança); durante o dia me continha e à noite me empanturrava. Passava o dia inteiro com fome e à noite pesado de tanto comer. Por alguns anos bebi bastante à noite e isso contribuiu para que eu ficasse mais gordo; ficava triste, mas não conseguia mudar os hábitos.

Por volta dos 30 anos consegui emagrecer. Fiquei dentro dos limites da normalidade (tenho 1,73 m e passei a pesar cerca de 70 kg). Estava bastante bem, mas continuei a me achar gordo (a gordura extra insistia em fazer um pequeno pneu no abdome e se depositar no peito), o que ainda me acompanhou por alguns anos. Nunca deixei de me preocupar com a questão alimentar. Consegui manter o peso sempre com grandes sacrifícios, com penosas dietas, que já conseguia sustentar por várias semanas. Relaxava depois de algum tempo e tendia para ganhar peso de novo. Privava-me de novo e voltava ao peso normal; oscilava pouco, mas sempre com a atenção voltada para o tema. Pesava-me diariamente e meu humor dependia do veredicto da balança. Passei a fazer exercícios diários, e isso me ajudou a manter o peso. Deixei de almoçar e continuava comendo bastante à noite, sempre começando a refeição com enormes porções de salada. Assim eu levava a vida de um gordo disfarçado de pessoa normal, sem jamais ter conseguido me assumir como tal.

Poucos anos depois eu me apaixonei. Perdi completamente o apetite. E o que mais me impressionava é que não conseguia ingerir mais grandes quantidades de comida. Cheguei mesmo a não conseguir comer um sanduíche inteiro de uma vez, coisa que nunca havia me acontecido. Pesei 67 kg, e em certos momentos conseguia ver-me como magro. Fiquei muito intrigado com o fato de o encantamento amoroso ser tão eficaz na atenuação da fome. Aprendi depois que isso acontece com todas as pessoas. Casei-me de novo e a paixão naturalmente se atenuou; o apetite voltou ao normal. Mantive meu peso em torno dos 70 kg sempre com os sacrifícios de antes, sempre me achando meio gordo e infeliz por isso.

Em 1979 parei de fumar por nove meses. Engordei 10 kg e me senti péssimo. Não posso avaliar quanto comi a mais por não estar fumando, mas o fato é que em certas horas o cigarro ajuda muito, uma vez que substitui algum alimento por ocupar nossa atenção e também a boca. Uma pessoa como eu, que não comia quase nada durante o dia, quando à noite ia a um restaurante, vivia momentos dramáticos: colocam na mesa pão, manteiga, azeitona etc. e demoram de 20 a 30 minutos para trazer a refeição principal. O gordo não pode comer nada dessas coisas;

tem de ficar olhando para elas e esperar que venha a salada. O cigarro, nessas horas, era de grande valia!

É fato também que a nicotina é um discreto estimulante, de forma que ativa o metabolismo determinando um pequeno mas significativo gasto a mais de calorias; assim, parando de fumar eu deveria ainda por cima comer menos. E essa força de vontade toda eu confesso que não tinha.

No início de 1980 voltei a fumar, preferindo vir a ter um enfarte ou um câncer no pulmão a ser gordo de fato outra vez. Dois meses depois me submeti a uma severa dieta e voltei aos 70 kg, que parece ser o meu peso ideal — embora por muito tempo minha cabeça continuasse sonhando com um peso menor que esse. Continuei, ainda por algum tempo, preocupado com as calorias, com a balança e sempre intrigado com o tema, que é assunto freqüentemente abordado pelos meus clientes mais gordos. Demorei para me sentir livre do problema, pois sempre me preocupava demais com o assunto, mesmo não estando mais fisicamente gordo. Meditei longamente, ouvi muito, conversei bastante e só depois de alguns anos creio enfim ter chegado a algumas conclusões importantes acerca do processo psíquico de ser gordo, conclusões que efetivamente têm me ajudado a deixar de ser gordo. Aos poucos, contarei tudo que consegui aprender...

A leitura destas páginas autobiográficas pode dar a idéia de que todas as mazelas e sentimentos de inferioridade que experimentei derivaram apenas do fato de eu ter sido gordo. Não creio que essa avaliação seja correta.

Em primeiro lugar, descrevi apenas os meus sofrimentos ligados a esse aspecto da vida, posto que os outros problemas não estavam em pauta. Depois, porque costumamos concentrar e objetivar nossos sentimentos de autodepreciação, que, como regra, têm origem em conflitos mais profundos, em alguma coisa concreta, para o que a obesidade se presta muito bem. Porém, pessoas magras e narigudas podem achar que todos os seus males estão no nariz. O mesmo pode acontecer com aqueles que são mais baixos do que a média, e assim por diante.

Apesar dessas ressalvas, posso afirmar que grande parte das minhas amarguras e dos meus esforços para me aprumar como pessoa se passaram em torno da questão do meu peso, algo que se repete com todos os gordos que conheço.

2 dois

AS CAUSAS DA OBESIDADE

Compreender os processos mentais que nos influenciaram e influenciam é fundamental para nos livrarmos deles. Isso não significa que a aquisição de novas concepções determine uma resposta imediata e simples: pode-se entender tudo direitinho e ainda assim suas manifestações não desaparecem instantaneamente. Porém, se não percorrermos com sabedoria essa etapa, nunca nada se modificará. Compreender é fazer o diagnóstico, do qual derivará o tratamento, sendo quase impossível imaginar este sem aquele. Assim, nessa fase inicial de qualquer tentativa de mudança de comportamento, a participação da razão é essencial.

Hoje em dia a psicologia tem dado muito pouco crédito a essa parte da subjetividade que ausculta nosso mundo interior, observa a realidade exterior, reflete, correlaciona, decide e executa suas conclusões. A ênfase exagerada atribuída aos sentimentos e emoções derivou do fato de que nossa racionalidade era, até há poucas décadas, bastante vinculada a preconceitos e muito influenciada por normas morais rígidas. Assim, a razão se exercia mal, de modo autoritário, e sempre no sentido de massacrar e reprimir as emoções. Isso já não é mais verdade, e hoje temos bom convívio com elas, que são um dos ingredientes que a razão terá de levar em conta nas suas consultas democráticas à subjetividade. **Talvez o fim dessa tirania interna das regras rígidas tenha sido a maior contribuição da psicologia para a melhora da qualidade de vida do homem moderno.**

Uma vez detectados os processos, teremos de nos posicionar diante deles, o que significa fazer uma avaliação do que está sendo maléfico ao nosso desenvolvimento emocional, distinguir o que nos interessa manter do que nos convém eliminar. A partir daí se constrói uma meta, um objetivo, ao qual nos dedicaremos a atingir. Isso dentro de um espaço de tempo a ser definido, mas que, em geral, não é tão breve quanto gostaríamos. Temos forte tendência a posturas imediatistas, isso em virtude de nossa impaciência. Aqueles que buscam soluções mais consistentes e estáveis para suas contradições terão de lutar de forma radical contra isso. As mudanças rápidas são superficiais e muito raramente se sustentam.

Colocadas as coisas dessa maneira, acho que cabe dedicar atenção para tentar compreender melhor determinados processos emocionais que, com grande freqüência, estão relacionados com o início da obesidade. Nem sempre teremos lembranças claras deles, pois as situações mais dolorosas e complexas do nosso passado são, muitas vezes, subtraídas de nossa consciência e levadas para o porão do inconsciente, onde atuam livremente. Ao nos apropriarmos do conhecimento relacionado com esses processos, ganhamos um domínio crescente sobre eles. Assim, ao nos conhecermos cada vez melhor, poderemos, um dia, livrar-nos da maior parte dos processos que escapam ao nosso controle consciente.

QUESTÕES LIGADAS AO FENÔMENO AMOROSO

Em todos os trabalhos que publiquei a partir de 1977, tenho insistido na necessidade de separarmos claramente o amor do sexo como dois impulsos independentes, coisa que a esmagadora maioria dos textos de psicologia não faz. A não-diferenciação entre amor e sexo tem levado a todo tipo de mal-entendido e criado enormes dificuldades para compreender os processos psíquicos mais elementares. **O amor seria o desejo de refazer uma relação a dois capaz de provocar em nós a sensação de paz, aconchego e proteção.** Seria uma espécie de nostalgia da condição uterina, quando, por estarmos em simbiose com nossa mãe, nos sentíamos em harmonia, completos.

Não temos meios de recuperar as memórias desse período, pois são registros cerebrais (e o cérebro funciona antes mesmo do nascimento) anteriores ao aprendizado da linguagem, por meio da qual as lembranças podem ser mais bem evocadas. Provavelmente sobram apenas sensações: **a harmonia uterina seria a primeira sensação, seguida da dolorosa ruptura que caracteriza a hora do parto (que deve ser nossa primeira grande experiência traumática, ao menos se dermos crédito à cara de pavor das crianças ao nascerem). Nascer significa sair do paraíso uterino; significa a expulsão! Significa expe-**

rimentar a dramática sensação de desamparo, tanto no sentido emocional de aconchego como nos aspectos físicos de necessidade vital de proteção. Vital aqui não é força de expressão: sem os cuidados da mãe, a criança morre.

Se pensarmos na condição da criança nas primeiras semanas e nos meses iniciais de vida, veremos que a única coisa que realmente interessa a ela é a mãe — da qual, diga-se de passagem, demora quase um ano para se reconhecer como independente. A mãe é a proteção, a mãe é o aconchego; sua ausência é o pânico e o desespero. O resto ainda não existe nem interessa. O que o bebê mais deseja é ficar no colo dela, alimentando-se dela. É o que há de mais parecido com a condição uterina. A criança precisa da mãe e também a ama, pois experimenta brutal satisfação em estar fisicamente junto dela. É exatamente essa sensação de prazer que fez que Freud pensasse no processo como erótico. Eu penso que há prazer, e não apenas necessidade, no convívio do bebê com a mãe, mas acho que há dois tipos distintos de prazer: o do aconchego e da harmonia — prazer amoroso — e o da excitação — prazer sexual. A esse segundo nos dedicaremos mais adiante.

A função alimentar está, pois, fortemente atrelada à questão amorosa. O desespero e o desamparo da criança que se percebe sozinha se atenuam e se apaziguam quando a mãe a pega no colo e lhe dá o seio. O estômago cheio passa a representar o aconchego. Corresponde ao oposto do desamparo, sendo que essa sensação

dolorosa, mesmo nas fases adultas da vida, é experimentada em associação com um "buraco no estômago". Se a criança se sentir razoavelmente protegida pela mãe, seu "buraco" não será muito grande e ela tratará de se alimentar normalmente; aquelas que experimentarem o desamparo poderão sentir demais esse "buraco" e tentarão preenchê-lo com quantidades maiores de alimento; isso pode ocorrer mesmo nos primeiros meses de vida.

Compreenda-se com precisão: o que cada criança sente não depende apenas das atitudes da mãe (e dos outros adultos que a cercam). Existem as diferenças individuais inatas. Cada cérebro nasce de um jeito e registra a coisa à sua maneira. Não cabe acusar as mães de serem responsáveis, por causa de suas negligências, pelas dores dos bebês e suas conseqüências, que neste caso específico seriam se alimentar demais e engordar. As negligências, de resto, são inevitáveis; ninguém jamais conseguirá deixar de frustrar um recém-nascido sempre exigente e inseguro. Desde sempre existe a interação de duas criaturas: a mãe e suas peculiaridades e a criança e sua natureza pessoal, que nem sempre apenas reage ao modo de ser de sua mãe; a mesma mãe poderá ter mais de um filho e perceberá como cada um é diferente em suas respostas à mesma situação. Assim, o grau de sofrimento e de insatisfação gerado pelo desamparo de ter nascido é variável em cada bebê, sendo que uns requerem grande atenção e proteção ao longo dos primeiros meses, enquanto outros passam quase todo o primeiro ano de vida dormindo.

As necessidades de cada criança são variáveis e a disponibilidade de cada mãe também. Quando há um desequilíbrio por demais intenso entre esses dois aspectos da questão, a criança se sente abandonada, insegura e desamparada, condição na qual a busca de maior quantidade de comida poderá ser o remédio para o "vazio" emocional que é sentido principalmente no estômago. Fica claro também que o primeiro objeto de amor de todos nós é a mãe, que o fenômeno amoroso é sempre a dois (de modo que não acho adequado pensarmos em amor por si mesmo) e que o objetivo desse impulso é homeostático, isto é, desfazer o desamparo e provocar uma sensação de paz e harmonia que dificilmente conseguimos sentir por nós mesmos. Assim, se formos capazes de avançar em nosso crescimento interior ao longo da vida adulta, talvez consigamos razoável harmonia como indivíduos isolados, condição que nos levaria a uma menor dependência de parcerias amorosas para nos sentirmos minimamente em paz. Talvez seja um caminho importante a ser percorrido por aqueles que queiram encontrar soluções pessoais mais estáveis para o "buraco" que costuma nos acompanhar.

Do ponto de vista da alimentação, serão críticos todos os períodos da vida em que venhamos a experimentar alterações do nosso equilíbrio amoroso. Quando o desamparo crescer, crescerá o "vazio no estômago" e tenderemos a comer demais. O oposto nos tirará o apetite exagerado. Lá pelos 6 ou 7 anos de idade, a criança vive outra crise de crescimento. Em virtude das triangulações amorosas conhecidas como complexo de Édipo (eu as vejo apenas como amorosas e não como sexuais, ao menos do ponto de vista da criança), o menino é obrigado a se desligar da mãe, objeto de amor do pai, e se ressente ao ter de dividi-la. Isso é particularmente doloroso para os meninos, mais apegados à mãe nessa idade e rivais muito incômodos para o pai. As meninas se desligam da mãe mais cedo, ligando-se ao pai, do qual se afastarão aos 9 ou 10 anos ou mesmo depois; sentem a hostilidade materna, ao passo que os meninos sentem a paterna (isso, é claro, por causa do ciúme e da possessividade que os adultos costumam ter também em relação ao amor, o que de certa forma quer dizer que não costumam amadurecer muito no que diz respeito a essa emoção).

O afastamento do menino em relação à mãe é mais doloroso do que o da menina em relação ao pai, porque essa já havia se afastado da mãe e teve nele um vínculo intermediário na direção de maior independência. Além disso, antes de iniciar esse ciclo de rápidas e complexas mudanças, nossa sociedade era muito mais exigente com os homens, de sorte que os meninos eram mais intensamente empurrados na direção de maior autonomia por volta dos 7 anos de idade.

Por um lado, a independência é desejada pela criança, pois são atraentes as coisas possíveis de ser feitas longe da mãe (acampamentos nas férias, passeios com amigos e outros parentes etc.), mas, por outro lado, muito assustadora, pois provoca o vazio ligado ao desamparo (o que costuma ocorrer mais à noite, quando as atividades lúdicas cessam; é a hora em que as saudades da mãe e de casa crescem e doem).

Os meninos que lidarem mal com a resolução dos dilemas dessa fase, a do afrouxamento do vínculo com a mãe, tenderão a sentir mais intensamente o desamparo e muitos deles terão a tendência de passar a se alimentar de forma exagerada, valendo-se especialmente dos doces. Uma vez que esse período é mais delicado para os meninos, são menos comuns as meninas que começam a engordar nessa fase. Aqueles que não engordam nessa época dificilmente terão problemas alimentares até a adolescência.

A puberdade corresponde a um dos períodos mais conturbados da nossa vivência emocional. Penso que tem sido injustamente negligenciada pela psicologia psicanalítica, que privilegiou os estudos infantis (de extrema importância, mas que não implicam diminuir a relevância de todas as outras fases críticas dos períodos posteriores). É o momento em que temos de aprender a nos relacionar, de forma adulta, com os ingredientes da sexualidade, que modificam completamente nossa maneira de ser, tanto física como espiritualmente. O corpo começa a sofrer dramáticas transformações, passamos a ter sensações novas às quais não estávamos habituados. É interessante pensar que nosso corpo se modifica antes de nossa mente e que esta tem de se empenhar para se adequar ao "novo" corpo. É o momento em que a vida começa a ser levada a sério, condição que conduz os jovens a vivenciar sofrimentos mais intensos.

As peculiaridades sexuais serão analisadas mais adiante. Antes faremos algumas observações acerca da questão romântica. Desde o esvaziamento dos vínculos familiares, ao redor dos 7 anos de idade, as crianças se compõem em turmas, substituindo os fortes elos amorosos por várias ligações mais frouxas de amizade, algumas de maior intensidade e intimidade que outras. Equilibram-se dessa forma quanto ao desamparo, que, do ponto de vista prático, tende a diminuir à medida que crescemos e nos tornamos mais auto-suficientes. Assim, esse período até a puberdade é de aumento da importância do Eu e de um prazer crescente pela independência.

Esse equilíbrio se rompe com as "trombadas sexuais" da puberdade. Quando isso acontece, os jovens voltam a se sentir muito desamparados e surge forte tendência para tentar resolver o dramático desconforto por meio de vínculos amorosos, agora estabelecidos com parceiros da mesma faixa de idade e não mais com os parentes. Desfeito o equilíbrio, surgem, pois, os anseios românticos, isto é, a tentativa de encontrar um objeto amoroso específico e ímpar, alguém que será substituto da mãe ou do pai.

Os adolescentes costumam viver esses primeiros encantamentos sentimentais apenas em fantasia, uma vez que geralmente não têm coragem de praticar intimidades complexas e que geram uma dependência maior do que aquela que talvez estejam dispostos a viver. Não é preciso enfatizar que os devaneios sexuais também são parte importante do processo.

A turma de amigos não desaparece, sendo que, na prática, corresponde a um importante atenuador do desamparo. Apesar disso, em determinado momento os amigos são percebidos como "quebra-galhos", como aqueles com quem os jovens saem enquanto não acontecem as coisas do amor. O desequilíbrio emocional é enorme nesse período, tanto para os rapazes como para as moças. As fantasias românticas ajudam a equilibrar um pouco, mas não são suficientes, de modo que os jovens nessa idade são irritadiços, mal-humorados, rebeldes, enfim, dão todos os sinais de frustração interior. Apesar de tudo, a maioria não engorda nesse período — exceto algumas moças e por razões sexuais. Muitas crianças gordas até mesmo tendem a emagrecer, talvez devido à intensidade do tumulto e a medos tão intensos que dificultam a ingestão de alimentos. E também porque a vaidade física, devido ao jogo erótico que se inicia, é importante fator de pressão para aumentar a força de vontade e levar as pessoas a emagrecer.

O inverso também acontece: quando os jovens estabelecem relacionamentos amorosos estáveis e se sentem seguros emocionalmente, tendem a engordar — especialmente depois do casamento. Não precisam mais estar em plena forma com o intuito de seduzir outras pessoas. Mudam muito de estilo de vida, tornam-se muito mais caseiros; quando saem, raramente vão a festas; preferem programas como ir a um cinema e depois a um restaurante. A vida se torna bem mais sedentária e todos os hábitos conspiram para aumentar o consumo de alimentos e para a redução dos gastos energéticos. A respeito desses hábitos conjugais e familiares, escreverei mais algumas linhas logo adiante.

Quando, em qualquer fase da vida adulta, as pessoas se apaixonam, tendem a perder totalmente o apetite. Isso se deve a duas razões: a primeira diz respeito ao reencontro, agora já com mais idade e independência prática — o que não implica o desaparecimento do desejo de fusão —, de uma relação dual semelhante à original, fonte de apaziguamentos e de atenuação máxima do desamparo. A outra deriva do medo: medo de perder o amado, de deixar de ser amado. O amor, quando encontrado, é uma sensação adorável e, como toda coisa muito boa, desperta imediatamente um grande pavor de perda. Ficamos, ao mesmo tempo, muito gratificados e em permanente suspense (esperamos com palpitações um telefonema, a chegada do amado, vivendo como grande alívio o fato de ele ainda nos querer). Ambas as condições nos tiram o apetite.

Pequenas inquietações tendem a aumentar a fome e enormes desconfortos tendem a diminuí-la, mesmo nos gordos. Nos magros também os dissabores menores levam à perda do apetite. Não consigo levantar nenhuma hipótese para explicar essa diferença de resposta alimentar relacionada com as pequenas contrariedades. É evidente que existem pessoas que vivenciam os pequenos dissabores como se fossem enormes e, nesse caso, perderiam o apetite mesmo por motivos menores. Porém isso não pode ser generalizado, já que existem muitos magros que são bastante tolerantes a contrariedades e ainda assim perdem o apetite diante delas.

QUESTÕES LIGADAS AO FENÔMENO SEXUAL

Ainda estamos longe de resolver todos os meandros e de compreendermos todos os detalhes acerca de como a sexualidade se manifesta e se expressa em nossa espécie. Trata-se de um fenômeno biológico que, por si, é muito simples, mas que ganha enorme gama de conotação entre nós. Acredito que um bom avanço consista em separar de modo claro sexo de amor, ao menos para fins de estudo e compreensão desses impulsos, embora ambos freqüentemente se expressem ao mesmo tempo — e em relação ao mesmo objeto — na vida adulta.

Na infância é que a separação entre sexo e amor é mais fácil de ser percebida. O amor é a busca, como já escrevi, de reencontrar a paz e a harmonia perdidas com o nascimento por meio de uma união física — e depois espiritual — com a mãe. O amor adulto corresponde à persistência de igual desejo de aconchego, agora na presença de um substituto materno. É um fenômeno interpessoal, é homeostático, pois busca a paz e o equilíbrio; manifesta-se desde o nascimento.

No fim do primeiro ano de vida, a criança se reconhece mais claramente como criatura independente da mãe e, apesar de não gostar nada do que percebe, começa a se pesquisar, a se conhecer melhor. Descobre que certas partes do corpo provocam uma resposta peculiar quando tocadas; a sensação é de excita-

ção, uma espécie de nervosismo percebido como muito agradável. Como a sensação é boa, existe a tendência natural para a repetição dessas estimulações, que só desaparecem se forem reprimidas pelos adultos. Essas são as primeiras manifestações sexuais, vividas solitariamente, correspondentes ao único desequilíbrio homeostático sentido como agradável e, por isso mesmo, chamado por Freud de instinto de vida, o que impulsiona para a ação e para o movimento.

Pelos 5-6 anos de idade surge outro tipo de excitação sexual, esse mais difuso e independente da estimulação das zonas erógenas. É o prazer exibicionista, ligado à atração de olhares derivados da ostentação dos próprios genitais (no caso dos meninos, é claro) ou de estar vestindo uma roupa diferente, usando um relógio novo, uma correntinha de ouro etc.

O prazer de se exibir, de chamar a atenção e de se destacar (que na criança não se exerce muito devido a um desejo de igual importância de se sentir integrada, como as outras, parte da turma) ganha força enorme com a sexualidade adulta e corresponde, a meu ver, ao substrato orgânico do que chamamos de vaidade humana, expressão essencialmente sexual.

Por volta dos 6 ou 7 anos surgem as trocas de carícias, ou seja, em vez de cada um excitar a si mesmo, um excita o outro e vice-versa. Creio que nesse comportamento existe grande dose de imitação do que as crianças vêem na atitude dos adultos. O brinquedo é gostoso, simples e não tem nada que ver com a complexidade que essas trocas ganham na vida adulta: pode-se brincar com vários companheiros no mesmo dia, não sobram compromissos, os meninos não precisam ligar no dia seguinte para as meninas para saber como elas estão, mandar flores etc.

Esse comportamento assim descompromissado se estende, hoje em dia, ao longo dos primeiros tempos da puberdade, quando o fenômeno ganha o nome de "ficar". As trocas de carícias são, é claro, mais excitantes. São praticadas em locais públicos e respeitam certos limites. Acredito que fazem parte de uma sadia inovação que torna a puberdade e a adolescência dos meninos e meninas mais parecidas. As trocas de carícias em bailes e nos recreios das escolas se dão entre jovens da mesma idade e mesma classe social, o que corresponde a uma extraordinária mudança em relação aos padrões tradicionais que foram quebrados ao longo das últimas décadas do século XX.

Com o passar dos anos, ao longo da adolescência, as coisas se complicam e o que era brincadeira vira coisa séria. Séria pelos riscos da gestação indesejada e pelo grau de humilhação — ofensa terrivelmente dolorosa à vaidade — que as rejeições podem causar, inclusive com repercussão na auto-estima.

O "ficar" atenua muito a dor dos rapazes, que, em função de possuírem forte desejo visual e se sentirem muito atraídos pelas mulheres em geral, antigamente se sentiam em clara condição de inferioridade, dependentes que eram da aprovação das moças para que pudessem abordá-las. As moças logo se conscientizam de que são desejadas de forma especialmente intensa e se excitam com isso. Os rapazes, ao menos entre os 14 e 16 anos de idade, ficavam numa situação pior, pois raramente eram correspondidos em suas investidas eróticas ou românticas — nessa fase já muito comumente associadas. Elas, que sempre se interessaram pelos homens em função de uma admiração mais global, que inclui a aparência física, mas também a inteligência, posição social, experiência de vida etc., tendiam a se encantar pelos rapazes mais velhos. Com isso os rapazes mais moços sobravam e, com freqüência, atribuíam sua rejeição a suas limitações pessoais e incompetência — e não à biologia. Apesar de escrever como se isso fosse só no passado, penso que muitos são os resíduos desses processos que ainda vigoram.

Os adolescentes gordos acham, e isso nunca mudou, que não são desejados porque são gordos. Aliás, os gordos costumam atribuir a essa condição tudo que de desagradável lhes ocorre. O desejo de se tornarem atraentes acaba funcionando como forte estímulo, que revigora a força de vontade e faz que muitos consigam emagrecer, recriando um hábito de vida mais esportivo e aprendendo a ter outra relação com a comida. Ao conseguirem emagrecer, sentem-se muito mais seguros e tentam, com mais possibilidades, as aproximações. Se têm sucesso, isso funciona como importante reforço, e a nova imagem corporal tende a se cristalizar.

Outros não conseguem emagrecer suficientemente e podem continuar a ter problemas de relacionamento.

Apesar da maior disponibilidade derivada das conseqüências positivas da revolução sexual que aconteceu no século passado, o fato é que estamos vivendo uma época em que é enorme a exigência coletiva ligada à esbelteza e à perfeição das formas físicas. Em geral, os gordos serão mais tímidos, tenderão a ser mais românticos, ao passo que os rapazes de melhor aparência física tendem a ser paqueradores e mais voltados para as aventuras sexuais múltiplas, pois sua vaidade se alimenta das várias conquistas. Os gordos, que saem dessa fase sempre frustrados, poderão conseguir emagrecer ou não em outro momento da vida e na dependência de outras variáveis.

Os rapazes imaginam que a posição das moças é de grande privilégio e desenvolvem evidente inveja delas. Na minha opinião, o machismo é a mais ostensiva manifestação dessa inveja: só vive criticando e quer tiranizar quem está se sentindo "por baixo".

Mas nem tudo são rosas para as moças. Durante a infância geralmente foram tratadas como criaturas de segunda classe e, de repente, tornam-se muito cortejadas e cobiçadas; é evidente que isso faz muito bem à sua vaidade, que as excita, apesar de muitos rapazes manifestarem o seu desejo com posturas depreciativas e até mesmo grosseiras (o que é uma defesa contra a situação de inferioridade, de risco de rejeição).

As meninas que vão se transformando em moças razoavelmente atraentes não têm grandes problemas. Sua auto-estima se fortalece com o novo sucesso, tornam-se mais vaidosas, tendem a se arrumar mais com o objetivo de tirar todo o prazer da nova situação. Muitas são as meninas gordas que, nesse ponto da vida, se transformam em adolescentes esbeltas.

A questão é bem mais complicada para aquelas que se tornam particularmente atraentes e altamente cobiçadas e assediadas. Isso que, aos olhos de todos, é um grande privilégio é também uma faca de dois gumes. Imagine que uma menina de 10-11 anos de idade vá a pé para o colégio, distante algumas quadras de sua casa. Vai sossegada e feliz. Suponha que aos 13-14 anos ela tenha se tornado extremamente atraente. Para percorrer os quarteirões no caminho da escola, ela será assediada por dezenas de rapazes todos os dias. Isso provocará nela grande satisfação e excitação sexuais, mas também será responsável por excessiva concentração de atenções no tema, tornando difícil a dedicação adequada a outras atividades. Ela não terá sossego e se sentirá ameaçada por grandes e perigosas tentações — é importante registrar que aos 14 anos de idade poucas pessoas têm estrutura emocional para suportar tanta glória, situação similar às dificuldades de andar na rua próprias de um artista de televisão de sucesso ou de um atleta em pleno apogeu. São, como dizia um psicólogo norte-americano, "celebridades genéticas" — não fizeram nada e já são assim famosas.

Moças muito atraentes podem desenvolver enorme medo de se deixar envolver pela própria sexualidade, de cair em "pecado", de virar prostitutas. As fantasias eróticas desse tipo podem ser atraentes, mas os riscos reais tendem a provocar grande pânico, não sendo raras aquelas que reprimem fortemente sua sexualidade.

A experiência clínica nos mostra que as mulheres muito atraentes têm mais dificuldades sexuais que as normalmente atraentes. Por medo dos excessos, preferem se bloquear; nessas condições podem exercer com maior liberdade o prazer exibicionista, pois, depois de reprimirem parte da sexualidade, não se sentem tão ameaçadas.

É claro que outros fatores interferem no processo de repressão da sexualidade nessas mulheres, que, quanto mais inteligentes e moralmente menos bem formadas, tendem a usar deliberadamente seu poder sensual com o intuito de atingir objetivos práticos de todo tipo. Não é o caso aqui de estender as observações a respeito do tema, o que fiz em vários outros livros.

Um tipo comum de obesidade nas mulheres começa nessa época e envolve moças muito atraentes e que se reconhecem portadoras de um impulso sexual que julgam não ser capazes de administrar. Como a gordura faz delas menos interessantes e menos assediadas, elas se deformam com esse intuito — esse mecanismo nem sempre é totalmente consciente e, como regra, não se trata de uma deliberação racional. Os fatos vão sucedendo e, aos poucos, elas substituem o prazer erótico pelo gastronômico. No futuro, só conseguirão emagrecer as que forem capazes de desenvolver uma estrutura psíquica e uma razão suficientemente fortes para dar conta da sua sexualidade. Muitas moças necessitarão de ajuda psicológica para conseguirem es-

se objetivo. No caso das moças que engordam durante a puberdade e adolescência, a obesidade é, pois, uma defesa contra impulsos sexuais percebidos como exageradamente ameaçadores.

Muitas crianças gordas se transformam em adolescentes magros, graças aos enormes sacrifícios que estão dispostos a fazer para conseguir um melhor resultado nos jogos eróticos. Não deixaram de ser gordos, estão apenas disfarçados de magros, já que sua força de vontade está altamente reforçada pelos elementos sexuais em questão. Fazem dietas permanentemente, privam-se de doces, não porque perderam a gula, mas porque não querem perder posição nas conquistas e disputas eróticas. Tanto isso é verdade que, quando, mais tarde, se envolvem sentimentalmente e se casam, são as pessoas que mais rapidamente voltam a engordar.

Como já registrei, quando as pessoas se casam, abandonam o jogo de conquistas, que parece desnecessário de ser praticado em relação ao cônjuge — ao menos numa primeira fase do convívio —, de modo que não se vêem mais com as forças necessárias para a perpetuar os sacrifícios e renúncias gastronômicas praticados até então. Caso venham a se divorciar e tiverem de voltar ao jogo, tornarão a emagrecer, para engordar outra vez quando estabelecerem um relacionamento afetivo estável. Isso acontece tanto com homens como com mulheres.

Não será essa, é claro, a única razão para indicar que o casamento engorda. A vida mais regrada é outro fator importante; mais regrada e menos movimentada, pois, ao se casarem, as pessoas constroem um cotidiano preguiçoso, caseiro e, como regra, menos emocionante. Assim, comer, ver televisão junto com um pacote de bolachas parece ser a atividade principal de muitos casais. Creio que certa decepção com o casamento em si e suas inesperadas dificuldades também ativam a sensação de desamparo (que a instituição deveria atenuar) e o apetite.

A insatisfação deriva de uma série de ilusões que nos incutem desde a infância (vide filmes americanos dos anos 50, contos de fadas etc.) de que, ao se encontrar a pessoa amada, tudo será maravilhoso. Assim, até mesmo um casamento bastante satisfatório tenderá a ser vivido como pobre por estar muito aquém dos sonhos (aqui o sonho é que é o erro e não a realidade). É evidente também que a vida sexual depois do casamento, como regra, não é mais a mesma e isso poderá também agravar as decepções, sendo fato que tudo impulsiona na direção da mesa, que parece ser a grande fonte dos prazeres conjugais.

HÁBITOS FAMILIARES E SOCIAIS ACERCA DA ALIMENTAÇÃO

Ainda não tive oportunidade de conhecer o que outros especialistas — antropólogos, historiadores — conseguiram descobrir a respeito das complexas relações da nossa espécie com a comida. No caso dos mamíferos inferiores, tudo se passa de forma bem mais simples do que entre nós: sentem fome, vão à caça, saciam a fome e pronto. Como não têm a capacidade de se preocupar com o futuro, não pensam no dia de amanhã, não pensam em acumular; vivem o momento e, segundo acredito, não têm problemas de obesidade — salvo alguns cães e gatos, especialmente os que são castrados, que engordam dramaticamente graças a estilo de vida e convivência com seus donos humanos.

Nossa espécie encontrou grandes dificuldades de adaptação ao planeta, que era, em muitos aspectos, um hábitat árido e bastante adverso. Não nascemos devidamente cobertos de pêlos para que pudéssemos enfrentar o frio rigoroso de certas regiões e tivemos de inventar vestimentas e habitações. Nos lugares mais quentes isso não foi necessário e talvez esse seja um dos motivos pelos quais os estímulos para a civilização e o trabalho de acumulação tenha sido muito menor. Tivemos de inventar o cultivo sistemático das terras e o confinamento de animais para podermos nos alimentar com regularidade. Tivemos de aprender a armazenar a comida no outono para podermos sobreviver durante o inverno. Nossa preocupação com o futuro é importante ingrediente de nossa subjetividade.

Isso acontece graças à nossa inteligência, que é capaz de complexas operações abstratas, entre elas a de sermos capazes de antever e nos proteger da própria morte. Parece que quando nos vemos com o futuro material mais garantido nos sentimos mais protegidos desse fim inexorável, percebido em geral como muito triste e apavorante.

Além disso, em virtude de termos sofisticado muito a variedade de alimentos à nossa disposição e as maneiras de prepará-los, o ato de se alimentar deixou de ser apenas uma função relacionada com a necessidade de sobrevivência para se tornar um importante prazer. E esse é de dois tipos: o de natureza essencialmente gustativo, em que determinados sabores provocam uma estimulação agradável nos centros receptores da boca — com repercussão cerebral —, capaz de nos deleitar; o derivado da vaidade — erotismo difuso ligado à sensação de destaque, de ser especial — de nos reconhecermos com acesso a determinadas comidas e bebidas raras e, por isso, caras.

Freqüentar restaurantes sofisticados, tomar bebidas importadas, comer coisas extravagantes corresponde ao prazer gustativo, mas também tem muito que ver com sentir-se importante, destacado da maioria da população e com acesso a coisas possíveis apenas para poucos. A esse tipo de vaidade costumamos chamar *status* social, preocupação enorme em tantos de nós, que se intromete em quase todas as nossas atividades e, é claro, está presente também no ato cotidiano relacionado com a alimentação.

O *status* social ganha maior importância entre nós depois da puberdade, já que, como regra, parece que a vaidade infantil é bem menor, ou pelo menos mais simples. E são grandes as alterações dos hábitos em função disso. Um exemplo típico dessas mudanças consiste na tendência, ainda freqüentíssima nos nossos

dias, de rapazes e moças começarem a fumar. As primeiras tragadas são "conquistadas" com grande dificuldade — elas são horríveis e provocam tosse e engasgos —, mas o ato de fumar dá o extraordinário prazer de já se sentir adulto e assim se sentir especial e destacado por força disso.

Ao longo dos anos, o ato de fumar, que foi buscado como símbolo de *status*, de pessoa adulta e independente, transforma-se num vício infernalmente difícil de ser abandonado. As crianças detestam o gosto de bebida alcoólica — há exceções — e os adolescentes se esforçam até conseguir achar graça nelas, o que também faz parte do *status* de adulto. As crianças não gostam muito de café e de nada que seja amargo, apimentado ou rico em outros condimentos fortes. Gostam de sabores doces e discretamente ácidos. Sabores estranhos fazem parte, ao que parece, dos requintes que os adultos se impõem em função da grande preocupação com o *status* social.

Essas breves considerações têm apenas o objetivo de ilustrar como acabamos por estabelecer uma relação complexa com a função simples da alimentação, tanto do ponto de vista qualitativo como quantitativo. Sim, porque em certos grupos sociais o *status* se mede pela quantidade e variedade de pratos, mais do que pelo seu requinte. **Quem é mais velho — e principalmente filho de imigrantes ou de camponeses — se lembra daqueles almoços de domingo quando se colocavam sobre a mesa seis ou sete pratos diferentes de comida salgada, frutas, dois ou três doces diversos. Os patriarcas se orgulhavam da fartura,**

de poderem oferecer tudo aquilo aos seus descendentes, graças ao fato de estarem vivendo em melhores condições de vida. As festas religiosas – Natal, Páscoa etc. – faziam que o volume de comida aumentasse ainda mais e se agradecia a Deus por toda aquela fartura. Até mesmo uma pequena barriga era bem-vinda, sinal de opulência e progresso econômico!

A atividade física do homem civilizado decresce a cada dia. Os avanços tecnológicos têm trazido cada vez mais facilidades, de modo que o conforto, ao contrário do gasto de energia, é sempre maior. Os mesmos avanços criam condições cada vez mais favoráveis e práticas para a boa conservação, acumulação e distribuição de alimentos. Nós, que quase não gastamos calorias, podemos ir a um supermercado próximo de casa onde encontraremos toda a variedade de alimentos que venhamos a desejar.

Nós, que podemos e devemos comer cada vez menos graças ao conforto que temos, somos cada vez mais tentados por uma variedade crescente de produtos, tanto os que provocam prazer efetivo como aqueles que nos fazem sentir importantes e poderosos e cujo consumo nos é fortemente estimulado por uma propaganda maciça exercida pelos meios de comunicação. Não é à toa que o número de gordos cresce a cada década, atingindo neste início do século XXI cerca de 45% da população dos Estados Unidos, país campeão em progresso e em contradições.

Assim, nos dias de hoje é muito fácil que qualquer tipo de desequilíbrio emocional se transforme em obesidade

e mesmo em bulimia — distúrbio de pessoas que comem em excesso e depois tratam de vomitar para manter a silhueta de magras mesmo sendo incapazes de se controlar diante de alimentos gostosos e desnecessários.

Tudo nos impele para isso, inclusive o espírito consumista de que quanto mais de tudo, melhor. Essa é uma das grandes fontes de permanente inquietação em todos nós — somos, mais do que em qualquer época, escravos dos nossos desejos.

Nossos hábitos alimentares têm de se adequar à nossa vida sedentária e confortável, e não à facilidade com que temos acesso à comida e à sua variedade. Porém, os padrões familiares e sociais nos quais crescemos ainda estão relacionados com as convicções antigas, que consideravam a fartura de alimento uma grande dádiva e que comemorações alegres deveriam ser feitas com "bacanais" de comida e bebida — isso vale também para as festas religiosas, em que talvez certo recato vingasse. Tal comportamento era razoável entre os camponeses, que trabalhavam com o corpo de sol a sol. Nós teremos de encontrar novas formas de comemorar nossas alegrias e de afogar as mágoas. **Teremos de nos livrar das amarras desses condicionamentos para ficarmos livres para escrever a história gastronômica da nossa geração.**

3 três
OS FATORES PERPETUADORES DA OBESIDADE

Em psicologia humana não se pode subestimar a importância dos fatores desencadeadores e muito menos dos perpetuadores de uma dada conduta ou estado de espírito. Não são em nada menos significativos do que os elementos causadores, pois sem eles os comportamentos não se tornariam persistentes e duradouros. Isso vale para os aspectos positivos — sentidos como agradáveis ou adequados — e também para os negativos — geradores de sofrimento e, por isso, inadequados.

Assim, por exemplo, um indivíduo não exerce determinada atividade profissional por décadas a fio apenas e exclusivamente porque um dia a escolheu em virtude de gostar dos assuntos a ela relacionados. Persiste no seu exercício diário graças a vários reforços perpetuadores, tais como os compromissos já assumidos com terceiros, seus objetivos financeiros dependentes da remuneração do trabalho, o prestígio e a vaidade pessoal envolvidos etc. Quanto mais fatores estiverem presentes, maior será a tendência para a consolidação e perpetuação de certa forma de ser.

Inversamente, um indivíduo não é gordo aos 30 anos de idade apenas por causa dos seus traumas infantis ligados ao desamparo afetivo ou em virtude da necessi-

dade de refrear um impulso sexual sentido como ameaçador. Vários fatores perpetuadores vão se acoplando de modo a dar estabilidade a essa maneira de se comportar diante do ato de se alimentar. E, mesmo que os fatores etiológicos originais já estiverem superados, é bem possível que o hábito de comer a mais já tenha se estabelecido e sobreviva apenas graças a esses elementos perpetuadores.

Um jovem começou a ingerir bebidas alcoólicas porque com elas se sentia mais desinibido e extrovertido; com os anos poderá tornar-se mais desenvolto socialmente por seus próprios meios, mas nem por isso deixará de continuar a exercer seu hábito de tomar aperitivos, uma vez que outras razões mais atuais podem levá-lo a dar continuidade a esse comportamento, quais sejam, o convívio com os amigos ou mesmo a necessidade de se sentir um pouco mais relaxado depois do trabalho.

Não creio que seja correto, do ponto de vista psicológico, buscar uma única causa ou um único fator perpetuador para determinada atitude ou conduta. Ou seja, não cabe perguntar se uma pessoa trabalha muito porque ela é muito dedicada aos seus semelhantes, muito vaidosa ou muito ambiciosa. Uma coisa não exclui a outra e, se todos esses fatores forem muito importantes — além de outros possíveis —, maior será a tendência dessa pessoa para trabalhar muito. Devemos buscar o maior número possível de variáveis envolvidas em dado processo e também tentar compreender como elas se inter-relacionam.

O ESTIGMA PSÍQUICO E SOCIAL DO GORDO

Ser gordo é pertencer a uma categoria social à parte. É ser tratado de modo especial. É ter de comer determinadas comidas. É ter de se vestir com certas roupas, feitas sob medida ou compradas em lojas especializadas. Ser gordo é chamar a atenção de modo pejorativo, atrair risadas, ser motivo de apelidos depreciativos. Ser gordo é ser inferior. É ser sexualmente desinteressante. É ter de ser grato e servil quando é amado. Ser gordo é ser feio.

É evidente que essas sensações são tão mais profundas e consolidadas quanto mais precocemente se estabeleceu a obesidade na vida de uma pessoa. Se é verdade que os sentimentos de inferioridade existem em praticamente todos os seres humanos (hipótese que minha experiência confirma e que está de acordo com as idéias desenvolvidas por um dos freudianos dissidentes chamado A. Adler), podemos dizer que eles são maiores ainda nos gordos e que são permanentemente reforçados pelas atitudes irônicas, maldosas e agressivas das pessoas que os cercam e que com eles convivem. É sempre chocante constatar a magnitude da agressividade humana: pessoas com inteligência suficiente para saber quanto estão maltratando a outra se divertem e fazem troça dela a pretexto de que são apenas "brincadeiras sem maldade". **O gordo odeia ser gordo e todo mundo sabe disso.**

Acredito que a emoção sempre presente nos casos em que se pratica um ato de hostilidade gratuita é a inveja. Vejamos como é possível entender esse processo no caso que nos interessa. Se um menino engorda e com isso se sente inferiorizado, pode muito bem tentar desenvolver outras "virtudes" com o intuito de chamar a atenção sobre si de uma forma que também seja positiva. Poderá tornar-se muito bondoso — de acordo com os critérios familiares de generosidade — e bom aluno na escola, alegre e bom companheiro etc. Será admirado por essas qualidades e, por isso mesmo, invejado — a inveja é uma reação agressiva daquele que, em qualquer peculiaridade do corpo ou do caráter, se sente "por baixo", menor. Aquele que o inveja tratará de exercer sua agressividade acertando o ponto fraco do outro, que no caso é a obesidade. Em tom de brincadeira — que é como a inveja mais se expressa, até para parecer que não é essa a causa de violência — ele exercerá sua raiva, com o intuito de diminuir o que é percebido como quem está "por cima".

Não é raro que o gordo se transforme no bom menino, no bom filho, no bom amigo, no bom aluno e no bom cidadão. Seus sentimentos de inferioridade o impulsionarão para isso. Sendo objeto de chacotas, fica magoado e isso determina um impulso de se aprimorar, além, é claro, do impulso de comer mais ainda. Mais se aprimora, mais é invejado e mais será ridicularizado, coisa que fecha o círculo vicioso e talvez explique o rancor coletivo que existe em relação aos gordos que, afinal de contas, são criaturas inofensivas. Do mesmo modo que se luta hoje contra qualquer tipo de discriminação em relação às minorias, creio que talvez valha a pena construir um movimento de gordos em defesa de seus direitos!

Também é verdade que raramente um gordo acreditará que o motivo das chacotas é de origem invejosa. Eles se sentem tão mal, tão feios e "por baixo" que não podem imaginar que alguém possa invejá-los. É que somos invejados por aquilo que os outros vêem em nós, o que muitas vezes não tem nada a ver com a imagem que fazemos de nós mesmos. Assim, percebe-se agredido e não tem a menor idéia das razões efetivas; só poderá concluir que ser gordo é uma coisa abominável, repulsiva e, conforme a situação, até mesmo repugnante.

O gordo se acha horroroso e é tratado como tal. A partir da adolescência, percebe-se como perdedor no jogo erótico. Isso tanto os meninos como as meninas, sendo que para os rapazes isso reforça a terrível frustração de não ser desejado, agora rejeição fortemente associada à obesidade. É bom dizer que todas essas frustrações aumentam a insatisfação íntima, e com isso também o "vazio no estômago", o que significa maior apetite. A única fonte de prazer e gratificação fica sendo a comida, ainda assim cada vez mais associada a sentimentos de culpa, como veremos a seguir.

A vaidade física fica altamente comprometida e muitos se dedicam a exercê-la do ponto de vista intelectual. Procuram destacar-se em áreas do saber e do sucesso profissional, buscando com isso compensar as frustrações derivadas do corpo deformado. Fogem dos esportes, das praias, dos clubes. Tornam-se pouco exigentes, mais passivos e bonachões, com aparência alegre, sempre com o intuito de serem agradáveis e conseguirem algum afeto. Consideram-se criaturas com menos direitos do que os outros e são tratados dessa forma, o que reforça ainda mais a conduta generosa que, mesmo não sendo regra absoluta, é comum entre os gordos.

No fundo são recalcados e ressentidos, magoados consigo mesmos — por não serem capazes de controlar a ingestão de comida — e com o mundo — que tanto os rejeita e desconsidera. Alguns, mais imaturos, tratam de obter direitos especiais, ao menos dos parentes mais próximos; essa atitude é usual nas criaturas egoístas: porque são portadoras de certas inferioridades em relação aos outros, "faturam" em cima da compaixão que despertam e tratam de, com isso, ganhar privilégios.

Insisto que essa não é a regra entre os gordos, cuja proporção de egoístas, segundo penso, parece ser bastante menor do que na população em geral.

No fim das contas, o gordo vai constituindo um modo de ser que, se não lhe é absolutamente peculiar, muito o caracteriza. Será alegre e bonachão – ao menos em aparência – e muito discreto em suas posturas e gestos. Será pouco agressivo e pouco reivindicador, porque se considera inferior. Será bondoso e atencioso para ver se consegue ser amado apesar da gordura. Será do tipo que topa todos os programas e que tolera bem as contrariedades e até mesmo as ironias que fazem com ele. Tenderá mais para as atividades intelectuais e tratará de ter sucesso nas questões práticas da vida adulta para ver se melhora sua posição diante das pessoas em geral, e do sexo oposto em particular. Será

profundamente infeliz na intimidade e não mostrará essa verdade para ninguém; é claro que isso o faz muito sozinho, carente e abandonado, e provoca muita fome. O ato de comer poderá ser o único prazer realmente importante e o único remédio para a depressão que toma conta dele quase o tempo todo. O gordo, nesse aspecto, será muito parecido com o palhaço do circo mambembe: é triste e melancólico até a hora em que veste a fantasia...

E vejam como a situação é complicada: é muito difícil tirar a fantasia quando os que nos cercam estão acostumados a nos ver com ela, e quase todos nós temos muita dificuldade de decepcionar as pessoas. **O gordo teria de assumir sua tristeza, suas frustrações e seu desamparo até para poder começar a sair do papel social em que ele mesmo se enredou. Teria de ser mais verdadeiro e dizer aos outros quanto o machuca ser ridicularizado, como gostaria de ser como todo mundo, como se sente frustrado na hora de se desnudar na frente dos outros.** Teria de falar de suas dúvidas sobre o "desprezo" que mostra ter a respeito dos esportes e do cultivo da perfeição física. Para fazer tudo isso, terá de deixar de ser o "bom menino" que se acostumou a ser. Terá de deixar de ser admirado por essas outras "virtudes" de caráter que tratou de acumular por falta de auto-estima física.

O gordo terá de compor também outro tipo de solução interna para avançar na vida, pois as humilhações que freqüentemente sofre poderão agir como estímulos

para outras conquistas. O ressentimento pode fazer--nos mais produtivos e, com isso, nos ajudar a vencer. Muitos de nós transformamos nossas sensações de inferioridade em força motriz que aumenta nossa persistência e obstinação (e quantos são os gordos obstinados em tudo na vida, menos em controlar a ingestão de alimentos!). Ficamos enredados nesses processos e depois, sem percebermos, resistimos para sair deles.

A OBSESSÃO DA RAZÃO DO GORDO PELO TEMA

Nosso organismo é curioso em certos aspectos. Um deles é o seguinte: temos uma racionalidade altamente sofisticada e que existe, até certo ponto, para interferir naquilo que não estiver indo bem em nosso organismo. Se queimarmos a mão, nosso cérebro registrará a dor, nossos olhos perceberão o estrago e nossa razão providenciará um médico ou remédio necessário. A razão sempre se ocupa mais daquilo que vai indo mal, sendo displicente com o que está bem, pois essa é a sua função, de buscar a homeostase, a harmonia. O mesmo acontece nos assuntos relacionados com a alma. Se estivermos felizes sentimentalmente o prazer proporcionado será menor do que a dor que vivemos com o abandono. A fartura material só nos gratifica num primeiro instante, depois ficamos negligentes com o tema, que volta a nos atormentar se por acaso tivermos problemas. A saúde nos faz displicentes e a doença ocupa toda a nossa atenção. A razão existe para resolver problemas. O que está bom não atrai aten-

ção equivalente ao que está mau. Apesar das conveniências, isso tende a nos fazer mais insatisfeitos e infelizes do que seria justo.

Mas é assim que funciona a razão e, se quisermos fazer nossas contas com mais rigor e justiça, temos de nos esforçar para lembrar o que existe de bom. **Outro aspecto interessante e muito importante é que, nos assuntos relacionados com o funcionamento automático do nosso organismo, qualquer interferência da razão poderá ser muito nociva e por longo tempo.** Se uma pessoa se deitar na cama à meia-noite e pensar assim: "Eu tenho de dormir logo, pois amanhã devo acordar cedo e com boa disposição", é provável que não durma até o dia amanhecer. A intromissão da vontade no processo automático de adormecer pode gerar um estado crônico de insônia, pois no dia seguinte o indivíduo tenderá a tentar influir sobre o adormecer com maior vigor, o que determinará maior reação negativa por parte do processo psíquico que exige autonomia e espontaneidade.

O indivíduo que sentir uma série de extra-sístoles (batimentos cardíacos irregulares e que podem acontecer com todos nós) e decidir ficar atento ao funcionamento do seu coração poderá ficar meses com a freqüência cardíaca alta — especialmente se ganhar o hábito de medir a própria pulsação. **A interferência da razão cria um processo psíquico de medo, medo de estar doente, medo de morrer, e poderá se instalar um quadro hipocondríaco crônico. Da mesma forma, quem insistir em viver tirando a pressão arterial tenderá a ter pressão**

alta, quem viver obstinadamente atento à prisão de ventre tenderá a perpetuá-la, e assim por diante.

Às vezes são os mecanismos do medo — que se manifestam fisicamente pela descarga de adrenalina no sangue — os fatores perpetuadores e agravantes dos sintomas desencadeados pela interferência da razão. Outras vezes, as causas são bastante mais obscuras, ao menos para mim. Mas a grande verdade é que a interferência da razão em processos orgânicos que devem ser espontâneos traz quase sempre resultados opostos aos desejados. **O indivíduo que estiver, por qualquer razão, inseguro de sua competência sexual e, na hora das intimidades físicas, decidir interferir racionalmente para aumentar as possibilidades de sucesso terá fatalmente de vivenciar o fracasso. O pênis parece exigir total autonomia e quem quiser comandá-lo ganhará um feroz inimigo.** A ereção é comandada por processos que nos escapam e só acontece quando deixamos tudo a cargo deles. Quem não quiser ter problemas sexuais terá de se familiarizar com uma postura mental inversa à usual, isto é, terá de "consultar" as "estruturas" que governam o desejo para saber se deve ou não ir para a cama com dada pessoa e em certa situação. Em geral, recebemos informações precisas e respostas claras (o sim é a "certeza" de que tudo irá bem e o não é o "medo" de fracassar); quem não obedecer se dará mal.

Pois bem, o gordo é um indivíduo que pensa no seu problema o tempo todo. O assunto só vai para segundo plano — e jamais está em terceiro plano — quando

acontecimentos muito extraordinários estão em pauta. O gordo acorda em geral otimista e faz os seus votos de que hoje comerá pouco, que não tomará cerveja à noite etc. Vai chegando a hora do almoço e é ele, muito mais do que os magros, que se lembra disso e reafirma os seus planos — que poderão ser cumpridos ou não — de conseguir se controlar. À tardinha, está morrendo de fome e pondera várias vezes sobre a conveniência de comer aquelas duas ou três bolachas salgadas. No jantar, esperado com ansiedade, já perdeu toda a capacidade de cumprir os votos matinais, pois sua força de vontade já se esgotou. Empanturra-se de comida e sai da mesa triste, preocupado pelo fato de ter comido. Antes de dormir promete a si mesmo que no dia seguinte tomará jeito e que essa coisa ridícula de comer demais não se repetirá.

O gordo sabe tudo acerca dos alimentos, sabe os que são ricos em carboidratos e os gordurosos; sabe contar calorias com grande competência. Estuda a possibilidade de fazer refeições deliciosas com ingredientes que engordam pouco. Sabe onde são vendidos produtos dietéticos e quais são os melhores adoçantes artificiais. Pensa nisso o tempo todo, sabe de tudo e continua gordo. Os magros, por seu lado, não entendem nada disso. Eles simplesmente comem de tudo, muitas vezes até em maiores quantidades do que os gordinhos. Não prestam atenção no assunto, não pensam em comida, não se lembram de que está na hora da refeição. Às vezes comem muito e outras vezes comem pouco. **Os magros deixam o organismo se regular espontaneamente a respeito do**

tema, ao passo que os gordos estão o tempo todo tentando interferir no processo metabólico.

Os magros, displicentes a respeito do assunto, não têm sequer balança em casa, não se afligem por que estão tomando muita cerveja ou refrigerante na praia, tomam três ou quatro sorvetes numa tarde de calor e continuam a ser magros. Os gordos, que sabem de tudo e tentam interferir em tudo, continuam gordos. Acho que é fácil concluir que aqui também a intromissão da razão em processos que deveriam ser espontâneos atrapalha, e de modo muito intenso.

Sou tentado a acreditar, se bem que não tenho bases biológicas para afirmar, que o metabolismo diminua nas pessoas que tentam interferir demais no processo de ingestão de alimentos. Muitos são os gordos que afirmam não comer muito mais do que os magros e o que acontece é que seu organismo "aproveita tudo" que entra, o que seria diferente no caso dos magros. Eu acredito que isso seja verdadeiro em muitos casos (há muitos gordos que, por vergonha, comem escondido!), e acho que se explica assim: o organismo do gordo — justo ele que está louco para emagrecer — funciona numa política de poupança, de escassez, o que é a mesma coisa que dizer que há uma redução do gasto calórico necessário para a vida diária.

O organismo do gordo funciona como um usurário que odeia gastar, ao passo que o magro é perdulário no seu relacionamento com a energia interna. E eu não tenho dúvida de que isso se deve, ao menos em parte,

à interferência da razão, mais uma vez sabotada pelo corpo quando se mete em seus domínios.

Que as coisas fiquem bem claras: não acredito que um organismo "aproveite melhor" os alimentos e por isso o indivíduo seja gordo. Penso exatamente o contrário, isto é, que é pelo fato de o indivíduo ser gordo e se preocupar demais com o problema alimentar que seu organismo reage negativamente, determinando uma filosofia mesquinha em relação ao gasto energético.

O MODO COMO OS GORDOS FAZEM DIETAS

Todo gordo incomodado com o seu peso — e esses são quase todos — está fazendo ou já fez dieta para emagrecer. Aliás, como regra, já as fez várias vezes e já experimentou todos os modelos de esquemas miraculosos que aparecem de tempos em tempos. **E o resultado final é quase sempre o mesmo: emagrece um pouco nos primeiros dias, semanas ou mesmo meses de regime; estabiliza-se no novo peso por algumas semanas e depois volta a engordar tudo de novo, não sendo raro que no fim de um ciclo completo o seu peso seja um pouco superior ao do início.** Passa algum tempo assim, se prepara emocionalmente e tenta de novo, com resultados idênticos.

Alguns conseguem emagrecer com algum tipo de dieta qualquer. Conseguem mesmo manter o peso ideal por longo tempo, às vezes por anos ou mesmo para sempre. Porém, continuam obstinados em contar calorias e se pesam inúmeras vezes por dia. Ficam aflitos depois de um dia no qual comeram um pouco a mais.

Não raramente são esses os que, apesar de magros, continuam a ter de si uma imagem de gordo. Não é de estranhar, pois continuam se relacionando com a alimentação como o fazem os gordos e, portanto, continuam gordos. **Poderíamos dizer que são gordos disfarçados de magros; o espírito continua o mesmo e é possível que o organismo continue a "aproveitar tudo", de modo que conseguem esse novo peso à custa de brutais sacrifícios e de grande força de vontade.**

A característica fundamental das dietas em geral é que elas se baseiam em algum tipo de privação. Não obrigatoriamente de quantidade, pois existem certos alimentos que podem ser comidos à vontade. Em algumas dietas não se podem ingerir gorduras. Nas mais recentes, a tendência é evitar os carboidratos. Em nenhuma é permitido comer doces, tomar refrigerante ou cerveja. Quase todos os alimentos são ingeridos em quantidades definidas: 150 gramas disso, 200 gramas daquilo, e assim por diante. Algumas não falam em calorias, mas em "pontos", correspondentes à quantidade de calorias contidas nos alimentos em geral e também nos hidratos de carbono, que indiscutivelmente correspondem ao ponto fraco do organismo no que diz respeito à auto-regulação da ingestão espontânea e natural. Pouca gente é capaz de se empanturrar de comida gordurosa, ao passo que são muitos os que podem tomar litros de sucos naturais e ingerir quilos de bolachas de todo tipo.

A privação de comida acaba se transformando na forma de o gordo se relacionar com a alimentação. Tal con-

duta se observa mesmo quando não está fazendo oficialmente algum tipo de regime, pois, como vimos, ele está sempre preocupado com comida, sempre aflito porque comeu demais. Está também quase sempre preocupado com a refeição seguinte, fazendo planos para comer pouco. Se vai a uma festa, imagina que todos comerão os doces e que ele não poderá fazê-lo. A sua fantasia é de privação, olhando os outros se deleitarem e ele triste e sofrido por não poder fazer o mesmo. É evidente que na hora mesma da festa quase sempre não resistirá, até porque gastou toda a sua força de vontade no longo processo de devaneios que antecedeu a situação real.

A convivência com a privação é, pois, constante. A comida está sendo evitada o tempo todo. Às vezes se exclui uma refeição inteira, quase sempre a do café-da-manhã (a força de vontade se revigora com o sono e com o remorso dos abusos da véspera). Algumas horas depois, o gordo está se sentindo injustiçado, a última das criaturas, cheio de inveja de todos os magros que podem comer de tudo. **Poderá, se conseguir, se privar também no almoço.** Sairá da mesa profundamente amargurado (além de eventualmente satisfeito com sua *performance*) com o seu destino, frustrado pelo que não pode comer, em vez de estar feliz por não estar mais sentindo fome. Apesar de saciado, não deixará de pensar na próxima refeição, se será ou não capaz de igual comedimento. **De repente, e isso acontece a qualquer hora da tarde ou no próprio jantar, rompe-se este equilíbrio precaríssimo e o gordo desanda a comer, ingerindo tudo do que se privou.**

Não é capaz de curtir coisa alguma do que está comendo; está apenas se vingando do próprio sacrifício. Entope-se de comida e depois se sente um derrotado.

Admitindo-se que o gordo é aquele que, além de todas as causas emocionais desencadeantes de sua condição, gosta de comer e de beber, fica fácil supor quanto a privação o faz sofrer. **Ele terá de viver como se estivesse num campo de concentração da Segunda Guerra Mundial, apesar de ter dinheiro no bolso, comida na mesa em quantidade e fartura de variedades. Terá de ver os outros comerem e sempre se abster.** Não poderá fazer o que todo magro faz, qual seja, tomar um sorvete no meio da tarde apenas porque está com vontade, comer um pastel e beber um refrigerante só por gulodice e mesmo sem estar com fome. Os magros fazem isso sempre.

Os gordos só comem quando estão famintos, pois, em caso contrário, se controlam e se privam. Porém, quando os gordos se dispõem a comer pastéis, comem mais de quatro! Pois estão proibidos — por sua própria consciência — de comer por prazer, justo aqueles de que mais gostam. Só o fazem em extrema necessidade e aí se descontrolam e comem até passar mal. Nada mais lógico e nada mais absurdo.

É esse o drama da privação: tira, depois de algumas horas ou dias, toda a capacidade de autocontrole, determinando grande tendência para o abuso indiscriminado. É como uma rolha que se empurra para debaixo da água, determinando o surgimento de uma força para cima de tal ordem que quando ela é solta subirá acima do nível da água. O desequilíbrio, em nosso organismo, tal como um pêndulo, faz surgir uma força no sentido oposto. O uso de alcalinos aumenta a acidez gástrica. Os descongestionantes nasais fazem as narinas permanentemente entupidas. **A privação alimentar aumenta o apetite.**

Apesar de tudo, não creio que isso seja o mais grave. Tenho razões para supor que esse estado crônico de privação alimentar no qual o gordo vive — apesar de comer até demais, seu psiquismo age como se estivesse de jejum e exposto permanentemente a todo tipo de tentação proibida — é o grande responsável pela tendência do seu organismo para "aproveitar todo alimento ao máximo". É o indivíduo privado que pensará no assunto o tempo todo, que tentará com a razão influir no funcionamento espontâneo do metabolismo. E influirá passando a mensagem de escassez, de tristeza por não poder alimentar-se livremente.

A mensagem que chega ao organismo — perdoem-me a liberdade de linguagem e a precariedade desta afirmação de um ponto de vista estritamente científico — é a de que ele deve economizar ao máximo, gastar o mínimo possível. Sabemos que nosso organismo pode funcionar em vários níveis de gasto energético e que ele tenderá para a redução tanto quando a ingestão alimentar é baixa como quando é essa a suposição da nossa razão; pois o gordo sempre supõe que conseguirá se privar e acredito que é essa a informação que chega ao organismo. Quando consegue a privação, emagrecerá

menos do que esperava, ao passo que, se ingerir alimentos a mais, engordará mais do que se fosse magro.

Dessa forma, acredito que o gordo viva permanentemente envolvido num processo orgânico que seria lógico se de fato ele estivesse se alimentando pouco. Vive sempre no esquema de emergência, de gasto mínimo. Isso porque, mesmo quando não tem propósitos de fazer dieta, está em férias, relaxado, continua pensando no assunto, em sua aparência, e sempre fazendo planos de vir a se controlar, fato que, conforme penso e já registrei, reforça a tendência a um metabolismo "mesquinho", que se estabeleceu como modo de vida em seu corpo.

A existência de mais de um modo de funcionamento do metabolismo de nosso corpo é uma boa hipótese para tentarmos entender por que em certas épocas comemos pouquíssimo e quase nada emagrecemos; inversamente, às vezes comemos bem mais do que o usual e não engordamos. Às vezes fazemos severas dietas e temos bons resultados, outras vezes nada disso ocorre.

Não creio que existam apenas diferenças entre cada indivíduo. Acredito também em diferentes modos de gasto na mesma pessoa, dependentes de vários fatores, um dos quais seria o nosso estado mental. Também desse ponto de vista, creio que se pode afirmar que a postura de privação diante da comida tende a engordar um indivíduo. Esse tipo de argumento confirma o fato, conhecido dos gordos e de muitos dos médicos que os atendem, de que as dietas para emagrecer engordam.

O HÁBITO DE COMER MUITO, PRÓPRIO DAS DIETAS

Outra característica das dietas para emagrecer em geral é que elas liberam o indivíduo para comer grandes quantidades de alimentos de baixo teor calórico. Assim, as saladas com pouco azeite, sem palmito, aspargo, requeijão e certos frutos do mar podem ser ingeridas livremente. Aquelas que sugerem que se coma determinada fruta durante o dia inteiro também não especificam limites de quantidade. Todo o problema, do ponto de vista da matemática das calorias, é que não se ultrapasse determinado número delas, provavelmente difícil de ser atingido mesmo com a ingestão de grandes volumes. É muito improvável que alguém consiga comer mais de 2.000 calorias em um dia alimentando-se apenas de melão ou melancia.

Essa filosofia, porém, reforça tudo aquilo que acredito levar uma pessoa a engordar. Quanto ao funcionamento da nossa razão, já vimos que ela se ocupa mais daquilo que está indo mal ou está em falta do que com o que vai bem ou possuímos. Assim, apesar de estarmos ingerindo grandes quantidades de determinado alimento, vivemos o estado mental de privação quanto aos outros que não podemos comer; isso acaba por determinar uma valoração muito grande das comidas interditadas, que ficam mais gostosas do que realmente são apenas por causa da proibição. Acredito, portanto, que mesmo a dieta livre de certos produtos hipercalóricos não altera o funcionamento psíquico — e o orgânico — ligado ao metabolismo da escassez.

De forma genérica, podemos afirmar que a ingestão de grandes volumes de alimentos permitidos não altera o estado interno de privação e de frustração, de modo que o metabolismo continua mínimo. O indivíduo se esforça muito e emagrece pouco. E, se as coisas são diferentes nos primeiros dias de uma dieta deste tipo, é porque o gordo se convenceu de sua eficácia, convenceu-se de que conseguirá emagrecer sem grande sacrifício. Isso provavelmente lhe dará otimismo e bom humor ligado a uma grande esperança (que os gordos sempre têm), condição na qual é possível que o gasto energético do corpo volte ao normal. Porém, com o passar dos dias, a tristeza ligada à privação passa a crescer, e com isso volta o tradicional metabolismo do tipo "mesquinho" e sua conseqüência: a enorme dificuldade de continuar perdendo peso em uma proporção compatível com o esforço e a força de vontade envolvidos.

Além do mais, o estômago e o aparelho digestivo em geral se habituam a receber quantidades enormes de comida de uma vez só. A pessoa se priva por longo tempo, espera até chegar a hora da refeição – é incrível como os gordos vivem esperando esta hora, como se preocupam com o relógio no que diz respeito às suas vontades alimentares, como são pontuais – e aí "ataca" a comida com todas as suas forças. Come depressa, mal apreciando o gosto do que está sendo consumido; não mastiga direito; come com os olhos a sua comida. Empanturra-se e, apesar de se sentir um pouco mal e pesado, sentirá certo alívio de tensão e alguma melhora do seu humor.

São muito raras as pessoas magras capazes de comer as quantidades que os gordos comem. **Os magros, como regra, comem com mais espontaneidade, mais preocupados com o sabor do alimento do que em se encherem até não caber mais nada. Sabem que poderão comer qualquer coisa a mais em qualquer momento, inclusive poucos minutos depois de haver terminado a refeição — e talvez por saberem que podem fazer isso a qualquer instante é que o façam tão poucas vezes e somente quando estão diante de sabores irresistíveis.**

Os gordos, por sua vez, sabem que terão de esperar pela próxima refeição, que deverão evitar todo tipo de tentação até lá — e talvez por isso mesmo é que acabam por cair em tentação com tanta freqüência. E sabem também que a próxima refeição será de novo constituída por vegetais e carnes magras, que o macarrão está proibido, que o pão com manteiga é veneno. Não há como agüentar por muito tempo, mesmo podendo ingerir grandes quantidades da "sua" comida; crescerá forçosamente a vontade de comer a comida "normal", a comida "deles", essa sim saborosíssima, ao menos aos olhos do gordo, sempre faminto e frustrado. Na sobremesa terá de comer mamão, enquanto a pessoa ao lado tomará um sorvete de chocolate. O café será sem açúcar, o licor, proibido terminantemente...

Não há muito em que pensar e o resultado disso tudo é absolutamente previsível: mais dia menos dia as forças se esgotarão e o gordo não suportará mais tamanha discriminação, tamanha injustiça. E comerá da comida "deles". Ao menos no sábado também comerá a feijoada, tomará aperitivos, cerveja, comerá doces na sobremesa. Acontece que seu estômago está dilatado, seu aparelho digestivo equipado para receber grandes volumes. Só que agora ingerirá grande quantidade de comida de alto teor calórico, de modo que não é impossível que o esforço inumano de toda uma semana seja neutralizado por um dia de comilanças.

Para o gordo todas as pizzarias vão fechar no dia seguinte, quando, para ele, é o dia de retomar a dieta e tudo que é bom volta a ser de novo proibido. Ele terá de comer tanto quanto for possível, sempre do mesmo jeito voraz próprio de quem ficou semanas passando fome. Ele não poderá pensar e agir como o magro, que se satisfaz com muito menos quantidade e sabe que, se quiser, poderá comer bolo de chocolate assim que chegar em casa.

O gordo come sempre grandes volumes de alimento. Quando consegue se manter dentro da dieta, emagrece menos do que o esperado, pois o seu metabolismo é de escassez. Quando transgride e come de tudo — coisa que inevitavelmente acontecerá, pois as tentações são diárias e a força de vontade será minada até mesmo porque a perda de peso será menor que a esperada —, ingere quantidades incríveis de calorias e, em virtude do seu metabolismo diminuído, engordará muito mais do que o previsto. Assim, chegamos, mais uma vez, a um círculo vicioso para o qual vamos tentar buscar uma solução inteligente e estável.

A DEPRESSÃO DERIVADA DE SER GORDO

A conclusão inevitável de tudo que escrevi é a de que o gordo se sente um eterno fracassado. Poderá ser muito bem-sucedido em outras áreas de atividade, mas intimamente se sentirá um blefe; afinal de contas, não é capaz de administrar e controlar uma função aparentemente simples: a ingestão comedida de alimentos. Não deixará de se sentir um fraco, a menos que seja capaz de emagrecer.

Penso que é difícil imaginar que exista realmente o gordo feliz. Até o momento eu não conheci nenhum — falo de gordos e não de pessoas com uns poucos quilos a mais e que se sentem muito bem assim, uma vez que não lhes faltam a simpatia e a sensualidade necessárias para o sucesso social, por que todos anseiam.

A auto-estima do gordo é totalmente dependente da balança: se ele consegue emagrecer alguma coisa, sente-se melhor e um pouco mais animado; se engorda um quilo, considera-se um verme e sem direito a nada. Nessas condições, **não são raros os gordos que se sujeitam a situações humilhantes, por se considerarem deformados e merecedores de total desprezo. Por exemplo, se um homem gordo for casado com uma mulher com dificuldades sexuais — e que, com freqüência, se recuse a ter relações —, ele aceitará isso com docilidade, já que atribuirá esse fato à sua condição física** (e não são raras as mulheres que reforçam essa sensação, tanto com o intuito de camuflar as próprias dificuldades como por desejar se aproveitar do "tendão-de-aquiles" do marido, com o objetivo de enfraquecê-lo ainda mais e, assim, dominá-lo com mais facilidade). **Ele não se sentirá com direito de reivindicar coisa melhor, pois, afinal de contas, ele é um gordo, parte daquele grupo abominável de pessoas que despertam asco em vez de desejo.**

No jogo erótico, em geral, o gordo é um perdedor. Dificilmente tentará abordar uma mulher desconhecida, pois a primeira idéia que lhe virá à cabeça é de que ela o rejeitará. Na praia ou no clube se sentirá menos à vontade ainda, sempre se prometendo que no verão seguinte as coisas serão diferentes e que então ele conseguirá o que pretende. Eventuais sucessos no plano profissional, intelectual e econômico de nada adiantam para a estabilização da auto-estima, que, por força da sua história, só se normalizará se conseguir emagrecer.

Dessa forma, pode-se afirmar que o gordo é um indivíduo que tem baixa auto-estima em virtude de sua aparência. É claro que isso não quer dizer que os magros tenham sempre elevada auto-estima, pois esse estado de contentamento consigo mesmo depende de vários outros fatores relacionados com a realização pessoal e com o fato de conseguirmos ser e agir da forma como consideramos legal e digna.

O que quero dizer é que o gordo, mesmo que tivesse condições, nos aspectos mais essenciais de sua vida íntima, de estar de bem consigo mesmo, não o conseguiria "apenas" pelo fato de ser gordo. Ser gordo não é "apenas" um problema, é o problema essencial e básico, ao menos enquanto não se resolve.

Um indivíduo com auto-imagem depreciada é sempre uma pessoa triste e infeliz. Poderá fazer grande esforço social para aparecer aos olhos dos outros como se fosse exatamente o contrário — e isso acontece justamente porque a pessoa já acha difícil ser aceita e querida e considera que essa aceitação seria impossível se ainda por cima aparecesse triste e frustrada.

Assim, o "mito" social de que o gordo é uma criatura bonachona e de bem com a vida só reflete as aparências. Na realidade o gordo é um deprimido crônico; e não é à toa que muitas vezes se beneficia muito, nos seus esforços por fazer dietas, de drogas estimuladoras do humor e mesmo de antidepressivos.

A depressão é causada inicialmente pela baixa auto-estima que a pessoa tem por sentir que sua aparência física é vista quase como repugnante — e isso se agravou muito nos últimos anos por força de um ideal estético ligado à magreza radical.

A depressão se agrava bastante com as dietas por dois mecanismos. O primeiro é ligado à sensação de privação, de não poder comer como todo mundo, de ter de se afastar de quase tudo que é gostoso, ou ao menos considerado como tal. Assim sendo, o gordo se olha no espelho e se deprime por ser gordo; e ficará ainda mais deprimido porque não pode comer como os outros. Ou seja, **além de ser gordo, ainda por cima não pode comer de tudo. Essa contradição só se resolveria se a pessoa conseguisse se privar por longo tempo — em geral meses — até que passasse a ter as recompensas**

do espelho, que considera mais importantes que as da mesa. E é exatamente atrás disso que o gordo vai, empenhando-se em severas dietas, muitas vezes intoxicando-se com pílulas de diuréticos, laxantes, hormônios tireoidianos, estimulantes do humor etc.

Salvo exceções, o gordo não consegue sustentar sua privação pelo tempo necessário para que as gratificações estéticas comecem a aparecer, pois há um momento em que a força de vontade já se gastou e ainda não chegaram as recompensas da auto-imagem melhorada. Nesse ponto crítico começam a surgir as "quebras" do regime, as escapadas fatais, que interrompem o processo e, como regra, determinam um novo engordar.

E aí está o segundo e mais grave mecanismo de depressão ligado às dietas, que se revela na necessidade de conviver com o fracasso diante de uma empreitada tida como tão essencial e na qual se haviam depositado grandes esperanças de sair do círculo vicioso. Por essa via não só não se sai do círculo vicioso como se fica cada vez mais atolado nele. Sim, porque, se a depressão é causada por esse processo, ela determina um aumento do apetite — isso só é válido para os gordos; os magros, como regra, perdem o apetite em quadros ansiosos e depressivos. Nos gordos, o ato de comer e em especial de se empanturrar é antigo remédio para o desamparo; e a depressão derivada da sensação de fracasso nos faz sentir muito sozinhos e carentes, o que desemboca obrigatoriamente no ato de comer demais, no engordar mais, no aumento da depressão, que provoca maior sensação de abandono e tristeza, o que aumenta a necessidade de comer, e assim sucessivamente.

O gordo usa a comida como remédio para a depressão, que deriva de ele não ser capaz de controlar a sua ingestão. A solução a ser buscada terá de superar esse moto contínuo, pois é daí que poderá advir uma resolução mais definitiva para o problema da obesidade, cuja simplicidade é apenas aparente. Sem que se interrompa esse processo, não há outro jeito: o gordo tenderá a ficar cada vez mais gordo, sendo isso tanto mais verdadeiro quanto mais lhe entristecer o fato de ser gordo.

Muitas pessoas engordam em etapas posteriores da vida, quer porque tenham diminuído de modo significativo suas atividades físicas, quer porque tenham se acomodado a uma vida em que a comida e a bebida são as gratificações mais importantes. Essas pessoas, como regra, entristecem-se muito menos com isso do que as que sempre se conheceram como gordas. Cultivam a barriga numa razoável condição de bom humor e tendem a manter um peso mais estável do que as que estão permanentemente brigando contra a obesidade. Essas, sim, podem muitas vezes corresponder ao "gordo feliz", comendo muito e despreocupadas com o peso e a aparência.

O gordo que se deprime com sua condição e que usa a comida como remédio para a sua depressão está sujeito a mais um elemento reforçador da sua obesidade: provavelmente a depressão é outro fator determinante de uma redução dos gastos energéticos por parte do organismo. Dessa forma, a depressão do gordo, que deriva do fato de ele estar infeliz com sua aparência e com sua incapacidade de emagrecer, também engorda. Daí a indicação cada vez mais freqüente do uso de medicamentos antidepressivos com o intuito de ajudar a pessoa obesa a romper seu círculo vicioso — contra o que não me oponho de forma alguma, desde que o medicamento seja tratado como coadjuvante e não como a solução para o problema.

A TENDÊNCIA SEDENTÁRIA DO GORDO

Um modo de vida exageradamente sedentário é um dos resultados mais negativos derivados do progresso tecnológico das últimas décadas. Se considerarmos que há quarenta ou cinquenta anos um homem da classe média andava de bonde, percorria a pé alguns quarteirões entre sua casa e o ponto onde pegava a condução e depois do transporte coletivo até o local de trabalho, e que fazia isso várias vezes por dia, porque almoçava em casa, é provável que apenas sua locomoção para o trabalho correspondesse a mais de uma hora por dia de caminhada. Isso sem levar em consideração os fins de semana, ocasião em que a movimentação era mais intensa ainda. Do ponto de vista da mulher, a atividade doméstica era toda manual e poucos eram os recursos tecnológicos de apoio, de sorte que sua atividade física também era muito intensa.

Hoje em dia tudo é muito diferente. As coisas ficaram mais fáceis, mas quase não se usa o corpo. O

mesmo homem da classe média desce pelo elevador de seu prédio, pega o seu automóvel na garagem, dirige até a garagem do prédio onde trabalha, de lá toma o elevador e se senta à sua mesa. Em casa, máquinas de lavar roupa, aspiradores de pó, liquidificadores e outros equipamentos fazem o trabalho físico mais pesado. Dessa forma, gasta-se muito menos energia, mas os hábitos alimentares continuam a ser os mesmos de antigamente.

As pessoas em geral sempre tiveram no ato de comer um dos seus grandes prazeres, mas que tem sido exercido nas últimas décadas de uma forma que ultrapassou de longe as simples necessidades de sobrevivência. Assim, é difícil renunciar às fartas refeições de antigamente e que hoje só seriam adequadas para aqueles que continuam a fazer grandes esforços físicos.

Porém mesmo essas pessoas têm de repensar o modo como se alimentam, pois **a oferta de prazeres gastronômicos aumentou, mas as necessidades orgânicas de alimento diminuíram.**

Assim, não é casual que nos últimos trinta anos tenha havido um crescente entusiasmo social ligado à prática esportiva, seja amadora, seja profissional, relacionada com o aperfeiçoamento da aparência física.

Esse comportamento — que provavelmente terá vida longa, porque é estimulado pela propaganda maciça das empresas que fabricam material apropriado para a prática de esportes —, passou a ser fator de equilíbrio, induzindo as pessoas a gastar energia de forma lúdica,

pois o corpo é cada vez menos necessário para a luta pela vida.

O tempo livre, para muitas pessoas, tem crescido, e a sugestão é que se gastem algumas dessas horas em atividades corporais que não são praticados na vida cotidiana. Isso é necessário do ponto de vista da saúde, pois ajuda a prevenir as doenças degenerativas precoces, e também é indispensável para que as pessoas possam continuar a se deliciar com os prazeres gastronômicos sem engordar demais. **A energia que se gastava na locomoção e nas atividades cotidianas agora tem de ser gasta nas esteiras ergométricas!** É claro que talvez devamos refletir um pouco mais sobre para onde os avanços da tecnologia nos têm conduzido.

Dada essa situação, cria-se um novo problema para o gordo, que teoricamente deveria ser o mais empenhado em consumir a energia em atividades físicas: o próprio volume do seu corpo tende a levá-lo a uma atitude de inércia cada vez maior. Fica difícil jogar tênis, vôlei e praticar outros esportes competitivos, porque ele terá menos mobilidade e dificilmente será um parceiro adequado para seus companheiros; além do mais, ninguém gosta de se dedicar a práticas nas quais se dá mal e ainda por cima pode ser objeto de chacotas.

O corpo pesado conduz a uma preguiça maior, a uma tendência maior para ficar parado. Além disso, o gordo tem muita vergonha do seu corpo e morre de medo de ser ridicularizado — na verdade, ninguém se acostuma com isso e, mesmo que há muitos anos uma pessoa seja objeto de ironias, terá cada vez mais medo delas. Por isso, dificilmente colocará um calção e sairá correndo pelas ruas da cidade ou pela beira da água numa praia. Dificilmente será um freqüentador de clubes ou academias de ginástica, onde os vestiários — ao menos os masculinos — são pródigos em gozações, que fatalmente recairão sobre ele. A mulher gorda, se for a uma praia, se sentará com discrição na areia e dificilmente sairá andando livremente, sempre temendo o desprezo e a ironia. Todo mundo gosta de ser admirado; as mulheres gostam de ser desejadas e não de chamar a atenção pelo grotesco.

Dessa forma, as pessoas mais gordas tentam chamar o mínimo de atenção sobre si e evitam ao máximo se expor com pouca roupa aos olhos dos outros. Acabam gastando, então, menos energia e engordam mais facilmente do que os magros.

Mesmo em outras atividades, a tendência do gordo é pela discrição, não quer chamar a atenção sobre si, sente vergonha de sua condição e tem pavor do deboche. Se está numa boate, evitará dançar; ficará à mesa, comendo e bebendo mais que os outros, pois é assim que afoga suas frustrações constantes.

O gordo é discreto nos gestos e nas posturas corporais até mesmo no dia-a-dia. Costuma ser do tipo que fica sentado longo tempo numa mesma posição, movimenta pouco a mão e os braços quando fala; enfim, fará tudo que for necessário com a maior discrição, como se estivesse sempre apavorado com a idéia de ser ironizado por causa de sua aparência deformada. Vive o tempo todo como se estivesse vestido numa camisa-de-força, perdendo com isso toda a sua espontaneidade e gastando ainda menos energia.

A postura do gordo diante da vida de todos os dias é, pois, de gasto energético mínimo, tanto em virtude das dificuldades de locomoção que o excesso de peso determina como, principalmente, em decorrência da vergonha* derivada de sua condição.

Já me referi ao fato de que o metabolismo do gordo é, como regra, mais baixo do que o das pessoas normais e que suponho que isso ocorra tanto em virtude de sua estrutura mental como do estado depressivo crônico em que ele vive.

Creio que é importante registrar que a tendência sedentária descrita acrescenta mais um fator importantíssimo e que corresponde a uma tendência para um gasto energético ainda menor em razão de a movimentação física ser mínima.

O MEDO DA FELICIDADE

O medo da felicidade, esse inesperado e sutil componente de nossa subjetividade, é parte essencial das minhas reflexões desde 1980 e aparece regularmente em tudo que tenho escrito desde então. Não se trata de um ingrediente específico e próprio da questão da obesidade.

* A vergonha pode ser definida como uma sensação de medo, acompanhada de alguma tristeza, pela antevisão de que a pessoa possa ser objeto de ironia ou crítica por parte dos observadores.

Está presente como obstáculo inexorável e universal na rota de todos os avanços que fazemos com o intuito de atingir melhor qualidade de vida. O que um gordo mais quer na vida é conseguir emagrecer; assim, se estiver prestes a conseguir seu objetivo, terá de deparar com essa dificuldade. Ela será tanto maior quanto mais a pessoa em questão valorize e deseje atingir o peso ideal.

Não me sinto em condições de dar uma resposta definitiva à origem do medo da felicidade. Talvez o mais interessante seja iniciar por descrever o processo, que é mais ou menos assim: sempre que estamos chegando a algo que desejamos muito, começamos a sentir um medo difuso, nos percebemos ameaçados, como se estivéssemos mais vulneráveis a uma desgraça justamente por estarmos nos sentindo mais felizes. Esse processo justificou o surgimento de uma série de rituais supersticiosos de proteção, tais como bater três vezes na madeira, fazer figa etc. Tais rituais são praticados no momento em que uma pessoa conta à outra como está bem. Ao se declarar feliz, imediatamente fará os gestos de proteção contra a inveja dos outros ou a ira dos deuses.

Quando uma pessoa se sente feliz, ela fica mais sensível à idéia de que a inveja de outras pessoas possa efetivamente lhe causar malefícios, coisa que já reflete um estado interno de maior vulnerabilidade e de maior sensação de ameaça. Não creio que a inveja tenha toda essa força, pois, senão, quase todos nós já estaríamos mortos.

É fato que somos invejados quando estamos bem e também é fato que nessas ocasiões nos sentimos ameaçados por nossos próprios processos internos. Acredito que associamos essas duas coisas, de modo que, ao percebermos que os invejosos nos querem mal, supomos que deles virá o golpe que tememos e, até certo ponto, estamos esperando.

O que acontece, na prática, é que, se não suportarmos o medo e a sensação de ameaça iminente que nos envolvem, tenderemos nós mesmos a destruir, em parte, a nossa sensação de bem-estar, com o intuito de reencontrarmos certo equilíbrio interno.

Se uma pessoa estiver muito feliz porque teve sucesso nos seus objetivos materiais e se sentir muito ameaçada por causa disso, tenderá a se envolver em maus negócios e assim perder parte dos privilégios, condição na qual reencontrará a estabilidade interna que havia perdido. Nesse caso, o equilíbrio se faz sempre num degrau abaixo daquele que o indivíduo havia atingido e que não foi capaz de suportar. Outra solução freqüente para os que não suportam a felicidade profissional ou sentimental é se sentir ameaçado por alguma doença grave, desenvolvendo um quadro psíquico comum que chamamos de hipocondria.

Em outras palavras, nossa subjetividade estabelece limites para a nossa felicidade, coisa que explica expressões idiomáticas como: "Isso está bom demais", "Estou morrendo de felicidade" etc. É curioso observar também que tais limitações só se estabelecem a partir de certa idade, em geral no início da adolescência; as crianças são ilimitadas e a elas poderemos dar todo tipo de gratificação no mesmo dia sem que elas demonstrem qualquer sinal de *overdose*. Quanto aos adultos, uns "suportam" mais coisas boas, outros menos, mas todos têm um limite.

Talvez uma explicação parcial para esse fenômeno seja a seguinte: somos todos influenciados por um tipo de pensamento moral — mais seriamente incorporado a partir do surgimento da sexualidade adulta, em virtude de suas relações com nossa vaidade, que cresce muito nessa fase da vida. Isso é o usual em nossa cultura, para a qual esforço, sacrifício, sofrimento, vida dura, caridade e renúncia são virtudes, e lazer, prazer, vida fácil, leveza e pouco esforço são futilidades sempre comprometidas com a idéia de pecado; talvez por isso mesmo, sujeitas à punição divina.

Mesmo que intelectualmente não acreditemos nisso e busquemos o prazer, ao chegarmos perto dele nos sentimos banais, medíocres, pecadores e ameaçados de castigo. A virtude é o trabalho e o lazer é o pecado; só podemos exercê-lo como recompensa derivada do trabalho, e ainda assim em doses comedidas. O esforço dá dignidade ao privilégio e nossa mente se torna contábil: se tivermos muito privilégio derivado de pouco esforço isso vai nos custar caro. (Em vários outros livros desenvolvi em profundidade esse tema, especialmente em *A liberdade possível* e *O mal, o bem e mais além*).

Se uma pessoa se apaixona por outra e é correspondida, realizará um dos seus sonhos mais ansiados. Poderá vir a se sentir privilegiada demais e talvez não se

ache merecedora disso. Entrará em pânico e, se não tiver bem claros esses processos relacionados com o medo da felicidade, tenderá a sabotar o próprio relacionamento amoroso ou então deixar de vê-lo como tão bom e gratificante.

Aquele que ficou rico tenderá a sabotar suas conquistas se não se acreditar merecedor delas; o mesmo acontece com os que se destacam e ganham grande sucesso público por competência esportiva, artística ou intelectual. Nossos sonhos são as coisas mais difíceis de ser atingidas justamente porque nós mesmos sabotamos o processo de conquista. Quando, apesar de tudo, conseguimos chegar lá, temos de nos vigiar o tempo todo para impedir que armemos uma armadilha para nós mesmos com o intuito de destruir a nossa fonte do prazer. Assim, mais difícil ainda do que atingir um dado objetivo é conseguir mantê-lo.

Vejamos como esse mecanismo interfere na perpetuação da obesidade. Suponhamos que um gordo inicie mais uma de suas infinitas dietas e que, por múltiplas razões, ela esteja evoluindo muito melhor que o usual. Por estar mais motivado e com o humor melhor, começa a perder peso num ritmo muito bom e isso o deixa cada vez mais animado e feliz. De repente, percebe que desta vez as coisas podem dar certo e que ele está prestes a realizar o seu grande sonho: deixar de ser um gordo.

Ele mal se agüenta de tanta felicidade e, sem entender muito bem as razões, começa a se sentir mais nervoso, meio aflito e impaciente. Transgride desnecessariamente as regras que se impôs para se alimentar e se recrimina por isso. Mesmo assim continua a emagrecer, quando, de repente, pode ter o seguinte tipo de pensamento: "Se estou emagrecendo assim facilmente é porque não devo estar bem; meu Deus, será que estou com câncer?" Entra em pânico total, se desespera e começa a comer desmesuradamente até que volta a engordar e então se tranqüiliza. Chega a se acalmar, mas continua gordo, ou mais gordo do que gostaria.

Quase todos os que já fizeram vários tipos de dieta, sendo que algumas delas com sucesso, ainda que temporário, sabem que existe um peso que, quando atingido, parece determinar uma enorme tendência para voltar a engordar. É como se aquele fosse o limite de tolerância da pessoa, sendo interditado um peso abaixo dele, condição em que a sensação de ameaça apareceria como muito intensa.

Fazer dieta e conseguir ser bem-sucedido já é algo extremamente difícil (se bem que o maior problema é sustentar o novo peso ao longo do tempo), e se ainda por cima o bom andamento do processo determina uma tendência destrutiva justamente quando as coisas estão prestes a dar certo, é evidente que emagrecer se torna mais difícil ainda.

O processo de emagrecer só ativa o medo da felicidade nas pessoas que sonham muito com isso e têm nesse objetivo uma das principais metas de vida. Ou seja, os gordos. Os magros, que por vezes também ganham alguns quilos em decorrência dos usuais abusos que cometemos durante as férias, estão acostumados à alegria derivada de uma boa imagem corporal. Ao restringirem parcialmente sua alimentação com o intuito de recuperar seu peso usual, fazem-no sem nenhum problema desse tipo, pois, para eles, não se trata de nada especial. **Quanto mais valor se atribuir ao fato de ser magro, maior será a sabotagem interna contra a consecução desse objetivo.**

Muitos gordos, ao perderem o peso que desejavam e ao ficarem magros, não conseguem ver a si mesmos como tal. Isso pode muito bem ser um truque, uma estratégia para burlar o medo da felicidade. Sim, porque tal comportamento diminui a quantidade de felicidade que sentirão.

Ao emagrecerem e continuarem a ter de si mesmos a imagem de pessoa gorda, não usufruem as delícias íntimas da sua nova aparência e assim não se sentem muito ameaçados. Ao mesmo tempo, estão magros e podem gozar das regalias dessa condição, pois é assim que são vistos pelos outros. Tal usufruto é indiscutivelmente menor, mas talvez corresponda ao ponto em que o equilíbrio interno se estabeleça, nos limites que eles suportam.

O que é fato é que é extremamente difícil emagrecer e conseguir atingir o peso ideal. Mais difícil ainda é conseguir mantê-lo ao longo dos meses e dos anos. Ainda mais difícil é conseguir se enxergar como uma pessoa magra, atualizando assim a auto-imagem construída ao longo de anos de obesidade.

4 quatro O TRATAMENTO DA OBESIDADE

Antes de mais nada, gostaria de registrar mais uma vez que discutirei aqui apenas os aspectos psicológicos da obesidade.

Minha experiência clínica ensina que a grande maioria dos gordos não é portadora de distúrbios hormonais relevantes. Assim, é essencial que as hipóteses orgânicas sejam excluídas para que as proposições que farei aqui sejam válidas. Acredito, porém, que mesmo nos casos em que existam causas físicas os mecanismos psicológicos que tenho tentado descrever também estejam presentes. Isso implica associar uma atenção psicológica aos eventuais tratamentos somáticos adequados a cada caso.

Antes de avançarmos nos procedimentos práticos que pretendo propor, é preciso fazer algumas breves e incompletas observações a respeito do mecanismo de ação das psicoterapias.

É claro que o objetivo aqui não é de natureza teórica e as considerações que farei visam apenas ajudar os leitores obesos a se libertarem de sua dor e se tornarem, nesse aspecto, seres normais. Minha intenção é transmitir informações úteis e concretas que ajudem as pessoas inteligentes e persistentes a montar suas próprias estratégias terapêuticas, o que, em muitos casos, poderá dispensar até mesmo a intermediação de um psicoterapeuta treinado.

Os pontos de vista relacionados com o modo como se processam as mudanças de comportamento ou de estado de espírito são múltiplos e o tema é extremamente controvertido. **As observações que farei correspondem apenas às minhas convicções pessoais, construídas ao longo de quase quarenta anos de experiência psicoterapêutica intensiva, convivendo com quase oito mil pacientes.**

A psicanálise foi a primeira — e a mais influente — teoria psicológica da qual se extraíram análises voltadas para a atenuação dos conflitos ou dilemas causadores dos sintomas que fazem o paciente sofrer. Os procedimentos terapêuticos visam trazer à consciência esse conteúdo turbulento e angustiante. A conscientização seria a fase inicial e básica da remoção dos sintomas, que, aos poucos, se extinguiriam. Outros fatores relacionados com a interação paciente–psicanalista contribuiriam muito para a boa evolução do tratamento.

Essa é a idéia central desse tipo de tratamento, no qual, como em todos os outros que envolvem o relacionamento entre terapeuta e paciente, entram em jogo os chamados fatores inespecíficos, que dependem da confiança que o paciente deposita no terapeuta e da sua postura compreensiva e não crítica, condições essas que permitem ao paciente falar de tudo, inclusive das vivências que lhe causam mais vergonha, e assim por diante.

A experiência nos tem ensinado, porém, que a conscientização das razões que determinam a presença de certo tipo de sintoma não é suficiente para que ele desapareça. Outros profissionais passaram a se posicionar numa trincheira antagônica à da psicanálise e começaram a considerar que era inútil saber as causas e as origens últimas de dado sintoma. Montavam estratégias práticas com o intuito de combater os sintomas de forma direta, sempre tratando-os como se tivessem se estabelecido por meio de condicionamentos inadequados e que deveriam ser substituídos por outros mais adequados. Outros ainda acreditavam que seriam necessárias experiências emocionais ricas e fortes durante o curso da psicoterapia para que os pacientes conseguissem liberar "energias" adormecidas. Muitos profissionais de psicologia aderiram a técnicas corporais como massagem e relaxamento com o intuito de conseguir, por essa via, alterar condicionamentos que estariam consolidados em posturas corporais. E assim por diante.

Minha experiência profissional e a minha natureza intelectual me fazem contrário a todo tipo de dogmatismo. Sempre valorizei todos os pontos de vista, inclusive aqueles que atribuem à razão um papel essencial na estabilidade de nossa vida interior. Quanto mais os anos passam, mais forte se torna minha convicção de que é nossa razão — esta parte do psiquismo que pensa logicamente, que tem acesso às nossas memórias, que nos permite nos comunicarmos com as outras pessoas por meio da linguagem e também nos permite imaginar o que não existe e construir idéias e hipóteses — que nos poderá dirigir durante o intrincado e

complexo processo que envolve qualquer mudança de convicção ou de atitude.

Dessa forma, não posso deixar de atribuir enorme importância aos procedimentos relacionados com a tentativa de reconstruir tudo que nos aconteceu e nos influenciou para que chegássemos a determinadas formas de ser ou de pensar. Daí ter me estendido tanto na descrição das causas da obesidade, bem como ter tentado levantar o maior número possível de processos psíquicos, inclusive os de natureza perpetuadora, que a ela se associam.

Também estou convencido de que a simples constatação das causas não é, ao menos imediatamente, eficaz. E isso porque os sintomas se perpetuam por meio de esquemas mentais complexos e que costumam continuar a existir mesmo depois de cessarem os efeitos das causas primeiras. Por exemplo, suponhamos que uma mulher tenha engordado nos anos da adolescência em virtude de não saber lidar adequadamente com sua sexualidade, sentida como explosiva. Não é raro que ela continue obesa aos 45 anos de idade, época em que provavelmente as razões sexuais que um dia a influenciaram já não são mais problema de difícil solução.

É evidente que saber as causas também não será eficaz por si se elas continuam vivas e atuantes. No caso de uma pessoa que não suporta a dor do desamparo e desata a comer por causa disso, a mudança de postura diante da comida só acontecerá se ela vier a se tornar capaz de suportar essa dor. Ter ciência da causa da comilança e sua relação com a sensação de abandono terá de levá-la a enfrentar com seriedade essa dor difícil de ser aceita. Por outro lado, ninguém poderá dedicar-se à questão do abandono se não tem a exata noção de quanto isso lhe causa sofrimento e de quanto isso está interferindo em sua subjetividade.

Assim, saber as causas nos ajuda, e muito. Em seguida, é necessário saber se essas causas ainda estão atuantes ou se só têm valor histórico; se são uma ferida aberta ou apenas uma cicatriz. Se a ferida está aberta, deve-se trabalhar para fechá-la, caso contrário não haverá nenhuma possibilidade de mudança nos sintomas dela derivados.

As atitudes dos pais, amigos ou terapeuta de uma moça que está engordando em plena adolescência terão de criar condições propícias para que surjam conversas francas sobre a questão sexual, sempre voltadas para que ela possa conhecer melhor o que se passa dentro de si e sentir-se com maior controle sobre seus desejos. Isso trará muito mais resultado do que submetê-la a uma dieta rigorosa que não terá a menor possibilidade de ser bem-sucedida.

Da mesma forma, se um menino começar a engordar lá pelos 6 ou 7 anos de idade, ele deverá ser cercado de mais carinho, de uma atitude mais positiva dos pais. Nos dias de hoje, temos condições de diálogo franco com essas crianças, que sabem mais das coisas do que sabíamos com 14 anos de idade há algumas décadas. Podemos perfeitamente conversar com elas sobre o sentir-se abandonado e também contar-lhes nossas experiências emocionais relativas à mesma época da nossa vida etc. Podemos, enfim, tentar criar o clima positivo de intimidade e de confiança, tão indispensável para a atenuação do desamparo, e, por isso mesmo, capaz de reduzir o problema e talvez cortá-lo pela raiz antes que os fatores perpetuadores venham a interferir.

Não é só nos consultórios de psicoterapia que se pode criar o clima propício para a comunicação sincera entre as pessoas. Isso pode ser feito perfeitamente em casa e entre amigos, desde que as pessoas se disponham mais a compreender e respeitar do que a julgar.

Saber quais são as causas primeiras do surgimento de um dado sintoma corresponde a uma curiosidade intelectual irresistível. Além disso, leva a um passo inicial fundamental, que é o de saber se elas estão ainda em atividade ou se são apenas cicatrizes.

No primeiro caso, é preciso dedicar-se inteiramente a elas e tentar compreender e sentir tudo que lhe diz respeito, sempre com o intuito de curar a ferida. Uma vez atenuadas suas manifestações, passa-se a verificar quanto os fatores perpetuadores já se haviam acoplado ao processo.

Se as feridas estão cicatrizadas e seus sintomas existem como se elas estivessem purgando, é evidente que os perpetuadores estão agindo com toda a força e autonomia. É o que acontece na grande maioria dos casos da obesidade que se estende ao longo da vida adulta. As razões afetivas ou sexuais que originaram o

processo já estão bastante atenuadas, mas o ato de comer compulsivamente ficou associado a outros fatores, os perpetuadores, já descritos. É evidente também que nesses casos de nada adianta querer modificar o comportamento apenas pela análise das causas primeiras, posto que elas não são mais os fatores "vivos" do processo.

Os fatores "vivos" é que têm de ser tratados em todos os casos. A compreensão global do processo é importante para dar forças à razão para que ela possa proceder aos avanços necessários; e só isso.

Quando falo em tratar, não me refiro obrigatoriamente a algum dos procedimentos psicoterápicos usuais. Acredito piamente que uma pessoa consiga avançar muito por meio de seus próprios recursos (aliás, acho que só deveria procurar ajuda técnica específica depois de tentar se resolver por si mesma; e isso não por orgulho, como fazem muitos, mas para desenvolver a própria razão e para utilizar as próprias potencialidades ao máximo).

Acredito mesmo que isso seja particularmente válido quando os fatores "vivos" são apenas os perpetuadores, posto que no caso das causas primeiras muitas vezes é necessária uma ajuda externa.

Os fatores perpetuadores correspondem a pensamentos ou condutas que se repetem de forma regular, são hábitos inadequados. Têm sua origem nas vivências que experimentamos e são razoavelmente lógicos — apesar de levarem a becos sem saída, a sistemáticas repetições de comportamentos não-evolutivos.

Na grande maioria dos distúrbios psíquicos, tais fatores são múltiplos e interagem de modo a reforçar uns aos outros. O desafio da razão, que, insisto, é quem administrará o processo de mudança, é encontrar um modo de desfazer a trama assim criada e buscar caminhos novos mais adequados.

A razão se fortalece se for capaz de compor uma explicação completa e convincente de todos os mecanismos envolvidos em dado processo. À medida que a pessoa se satisfaz com as explicações que consegue acumular, passa a considerá-las verdadeiras — e, como regra, só pode sentir-se assim quem se aproxima de modo razoável da "verdade", que, de fato, é inatingível — e poderá dedicar-se à construção de um projeto que lhe permita desmantelar a trama na qual está enredada.

A coragem para o processo de mudança deriva da própria convicção. É a certeza de estar no caminho certo que pode dar ânimo, energia e vigor para a pessoa tratar de romper os círculos viciosos que a amarram.

Todo esforço de mudança requer muita coragem. Mudar é experimentar alguma coisa nova e isso provoca uma reação instintiva de medo. A coragem é a força racional que, se for mais forte que o medo, pode levar a pessoa à aventura da experiência. Esta, quando bem-sucedida, estimula grande contentamento íntimo — e a ele corresponde um genuíno aumento de auto-estima. O bom resultado revigora o humor e também eleva a convicção nas idéias que estão guiando a pessoa. Isso aumenta ainda mais a coragem, o que predispõe a mais um passo no caminho da experimentação da novidade. E assim por diante.

Esse exemplo mostra que os processos que se retroalimentam não são apenas negativos, existem também os positivos. Estes nascem de um conjunto de idéias convincentes e capazes de determinar tanto um plano de ação na direção da quebra de velhos condicionamentos, e de se aventurar por novos caminhos, como também de prover a pessoa da coragem necessária para experimentar o novo.

Conforme venho observando ao longo dos anos, é assim que se quebram os condicionamentos inadequados, substituindo-os por outros mais adequados: quando se ousa experimentar outro modo de conduta e se percebem seus benefícios.

Em algum momento o trabalho de análise psicológica se esgota e se torna improdutivo. É chegada a hora da ação, essa, sim, terapêutica. Mas só o será se for muito bem planejada, o que depende exatamente do trabalho psicológico feito previamente.

Em outras palavras, existem duas etapas no processo terapêutico: compreensão e formação de convicções geradoras da coragem; e, depois, ação. É nessa direção que se caminhará daqui para a frente. Serão sugeridos alguns procedimentos lógicos e viáveis, que derivam das afirmações que fiz até agora. Muitos outros caminhos poderão ser seguidos com bons resultados. Tudo depende da análise criteriosa que cada pessoa faz de si mesma e de sua história de vida.

Apenas mais um lembrete: não é bom guiar-se pelas tradicionais aflições acerca do tempo necessário para atingir o objetivo de se tornar uma pessoa magra.

Se os processos causadores e perpetuadores da obesidade se estabeleceram ao longo de anos ou mesmo de décadas, seria muita ingenuidade supor que seja possível livrar-se deles em dias ou semanas. Talvez o mais importante seja parar de subestimar os adversários internos, quer sejam os hábitos enraizados e persistentes por anos, quer sejam as forças destrutivas derivadas do medo da felicidade. Talvez cada um tenha de se empenhar por meses a fio — ou mesmo anos — até chegar à vitória final. Isso será melhor do que se propor uma vitória em oito ou dez semanas e fracassar de novo.

Nenhum gordo está em condições de amargar mais uma derrota. Por isso, vamos devagar, mas com total determinação, para esta emocionante aventura de conseguir modificar algo tão essencial para cada um.

CRIAÇÃO DE NOVOS HÁBITOS ALIMENTARES

Resolvi começar pelo mais difícil e que, para a maioria dos gordos, implicará mudanças de velhos hábitos ligados à alimentação. E uma das coisas que mais exigem força de vontade — é assim que poderíamos chamar a força racional que deriva de uma forte convicção em certas idéias e de um enorme desejo de mudança. Assim alcança-se a disciplina necessária para derrubar modos de agir que se automatizaram por décadas de repetição.

Em geral o gordo é muito determinado. E, se fracassa nas dietas para emagrecer, é porque elas estão erradas e são inviáveis.

Estou convicto de que, se as teorias parecem atraentes mas na prática não funcionam é porque estão erradas. A realidade prática é soberana e não adianta tentar impor-lhe teorias apenas porque parecem boas idéias ou boas explicações. O que não funciona está errado.

Qualquer mudança é muito difícil e requer de cada um extrema atenção e também boa dose de condescendência para com as "recaídas", que tenderão a acontecer por várias semanas ou mesmo alguns meses.

Já afirmei que é essencial não se apressar para deixar de ser gordo. Minha geração aprendeu, por exemplo, a escovar os dentes com pressão da escova na direção horizontal. Os dentistas descobriram mais recentemente que a forma correta é a vertical, capaz de massagear adequadamente a gengiva. É preciso mudar de postura, mas a tendência a repetir o condicionamento original é enorme — é impressionante como é muito mais fácil fazer novas associações do que conseguir dissociar, desfazer um condicionamento que se estabeleceu.

Porém, depois de certo tempo de atenção e grande dedicação, somos capazes de criar o novo hábito. Isso será tanto mais fácil quanto mais firmemente estiver a pessoa convencida de que a mudança é lógica e se reforçará em virtude de ter atingido resultados práticos mais saudáveis.

É fácil consolidar a mudança quando se percebe, no exemplo anterior, que as gengivas estão mais saudáveis e o tártaro se acumula em menor quantidade. Os bons resultados — reforços positivos — são essenciais para a estabilidade do novo hábito.

No caso da alimentação, o princípio que deve governar a nossa atitude é o do prazer máximo. Os gordos gostam de comer, mas sua capacidade de se alimentar também como fonte de prazer está altamente comprometida pelas dramáticas perturbações mentais relacionadas com esse ato, determinado pelo próprio fato de ser gordo.

Uma pessoa que se sente o tempo todo privada do direito de provar dessa ou daquela comida de sabor agradável, que chega perto de um prato sempre com culpa e contando calorias, sempre se prometendo sacrifícios compensatórios no dia seguinte, sempre com o estômago doendo de fome, dificilmente terá serenidade para simplesmente saboreá-lo. Tenderá a comer com voracidade e com a afobação de um refugiado de guerra. E com isso estará se privando, ainda que aparentemente não seja assim, de todo o prazer. Estará apenas reativando o círculo vicioso da culpa – pois fatalmente comerá demais – e isso predominará sobre as gratificações gastronômicas. Elas ficarão, mais uma vez, adiadas para o dia em que a pessoa conseguir ser magra, pois parece que só o magro tem legítimo direito ao prazer. Com isso, emagrecer se torna ainda mais indispensável e urgente.

No fim das contas o gordo acaba atribuindo uma importância exagerada à comida e especialmente àquelas que deve evitar por serem muito calóricas. A importância deriva da proibição – já afirmei que nosso

cérebro se ocupa essencialmente do que está indo mal, do que está em falta — e a excessiva importância impede a simples degustação porque determina uma atitude voraz e descontrolada.

Por exemplo: as crianças adoram picolé de chocolate. Lambem o sorvete com toda a calma sempre com o intuito de prolongar ao máximo o prazer do sabor doce na boca. O objetivo não é alimentar-se e sim deleitar-se; demoram tanto para terminar o sorvete que ele quase sempre derrete e em parte se perde, não sem fazer enorme sujeira. A criança — e também o adulto — que já age como gorda, que se privou do sorvete por longo tempo, e que o esteja comendo com culpa — ou mesmo escondido — dá grandes mordidas no sorvete, que terminará em um minuto. Seu prazer gustativo é muito menor. A criança não pode agir de outra forma porque teve uma reação descontrolada àquele alimento precioso — supervalorizado — e ao mesmo tempo "pecaminoso".

O gordo é aquele que evita o "pecado". Porém, se peca por um, peca por mil; a partir de certo ponto de transgressão ele vai em frente até se fartar. E certas comidas não existem com essa finalidade; no exemplo do sorvete, seu propósito é apenas o de alimentar e não fazer as pessoas se empanturrarem. Observa-se que a relação do gordo com a comida é de todo tipo, menos de prazer. Por isso, insisto, as mudanças de hábito se impõem sempre com intuito de aumentar o tempo de duração do prazer gastronômico, já que este é o tema geral da alimentação para os que têm acesso à fartura e não sofrem de nenhum tipo de necessidade objetiva ligada à sobrevivência.

Na verdade, um dos objetivos dessa proposta terapêutica é reconduzir a alimentação, na subjetividade dos gordos, à categoria de prazer e não de obsessão e de doença.

O gordo pode até comer mais do que as outras pessoas, mas não o faz com prazer. **Acredito que seja fácil concordar que a primeira regra para tirar o máximo de satisfação de um alimento é comê-lo devagar, mastigando cuidadosamente cada porção, deixando que seus sabores sensibilizem os receptores gustativos ao máximo.**

É completamente sem nexo comer muito rápido e sem saborear ao máximo tudo que está na boca. Isso só teria sentido se o objetivo fosse comer o máximo no menor tempo possível; ou seja, comer por necessidade. Apesar de não ser essa a verdade objetiva, parece que subjetivamente o gordo só come por necessidade.

Os gordos só se aproximam da comida em extrema fome — caso contrário, são capazes de se privar — e o fazem para aplacar os reclamos do estômago. Nessas condições, só visam a quantidade. Nada é mais absurdo, por exemplo, do que colocar na boca, ao mesmo tempo, uma dúzia de amendoins. O tempo de mastigação de um ou de doze amendoins é o mesmo e o prazer gustativo independe da quantidade que esteja na boca. Se comermos um de cada vez teremos doze vezes mais prazer! Mas o gordo, que na hora do aperitivo já está morto de fome, tenderá a ingerir o amendoim não como prazer, e sim como alimento. Nesse caso, comerá muito, muitos de cada vez, engordará cada vez mais e fará promessas futuras de que nunca mais comerá amendoim; e, é claro, na próxima oportunidade, as transgredirá. Terá uma relação cada vez mais complicada com o amendoim e com vários outros produtos gostosos e, ao mesmo tempo, ricos em calorias.

Se o gordo não viver em privação, poderá aprender a comer por prazer e não para se fartar. Mas a mentalidade criada pelas dietas se opõe à noção de prazer, associando enormes perigos aos alimentos capazes de provocá-lo. Assim, o gordo se relaciona com a comida apenas numa base utilitária: "Estes produtos podem me saciar por tantas horas e têm baixo teor calórico; servem aos propósitos de matar a minha fome".

A verdade é que os magros se alimentam por prazer e são magros. Os gordos se proíbem o prazer e são gordos! Se os gordos conseguirem voltar a comer por prazer, tenderão a emagrecer ao longo do tempo. A minha convicção disso é absoluta. Acredito que ficar sonhando com determinados prazeres raros — esporádicos e ricos em culpa — impede que o gordo coma pouco e direito.

Quando me refiro a comer direito não estou pensando nos sofisticados modos de mesa propostos pela sociedade moderna, se bem que em um sentido mais profundo eles estão também associados à busca de prazer máximo.

Este não é um trabalho acerca das boas maneiras, mas sim sobre bom senso. Porém cabe refletir sobre o bom senso contido nas propostas do que chamamos de etiqueta e, se as pessoas concluírem afirmativamente, não há mal algum em comer de modo delicado e educado. O hábito de levar pequenas porções de cada vez à boca, mastigá-las cuidadosamente e de boca fechada enquanto se deixa "descansar" os talheres, degluti-las calmamente antes de uma nova garfada parece-me muito compatível com o princípio do prazer que estou defendendo.

Os gordos, em sua voracidade de eternos famintos — e é assim que se sentem —, terão muita dificuldade de se adaptar a esses hábitos, tanto porque, como regra geral (e a psicologia é pródiga em exceções), desenvolveram um padrão de comportamento que se caracteriza por comer depressa e mastigar mal, sempre com o intuito de encher o estômago o mais rápido possível, como porque para eles a idéia do prazer ligado à alimentação está associada a algo capaz de engordá-los. Dentro do seu condicionamento mental, o prazer de comer é o que mais faz ganhar peso.

Lembro-me de que, ainda criança, observava com enorme tristeza e inveja alguns dos meus colegas comendo banana amassada com aveia recoberta por grande quantidade de mel. Achava aquilo o máximo e sabia que só os magros podiam comer tal coisa; imaginava o enorme prazer que deveriam estar sentindo ao se lambuzarem com aquele prato. Tinha certeza de que, se tentasse fazer o mesmo, ficaria mais gordo ainda, e eu não queria isso. Ia para a minha casa cabisbaixo e me fartava de melancia. No outro dia, ia para o centro da cidade e comia dois sanduíches grandes e tomava dois refrigerantes — que talvez tenham me engordado muito mais. Comia depressa, como um criminoso que tem de se afastar do local do crime o mais rápido possível. Meu prazer era mínimo e meu peso era máximo.

Reafirmo que para o gordo é necessária grande coragem para se dispor a comer por prazer tal qual fazem os magros. Isso porque, segundo suas crenças antigas e arraigadas, corre o risco de engordar. A coragem derivará do grau de convicção que possa vir a ter nos argumentos que estou tentando desenvolver.

É evidente que, se o gordo ingerir quantidades de amendoim equivalentes às que ingere de salada de alface e palmito, tenderá a engordar ainda mais. **Aqui introduzo uma proposta de mudança de hábito: para atingir o prazer de se alimentar, coma pouca quantidade de cada vez. Sabe-se que a sensação física que se segue ao empanturrar-se é extremamente desagradável.**

Esse é um aspecto em que o prazer está perfeitamente de acordo com os objetivos de uma forma de vida saudável do organismo. Aliás, é sempre muito importante respeitar o corpo, pois dele derivam grandes prazeres e brutais desconfortos — isso quando transgredimos suas regras. O aparelho digestivo funciona melhor e com menor sobrecarga quando as refeições são de menor volume. É muito mais adequado aumentar o número de refeições do que sobrecarregar o organismo com a ingestão de grande quantidade de comida.

Acredito que seja necessário enorme esforço inicial para que o gordo deixe de se empanturrar, e talvez esse seja o ponto que exija mais de sua força de vontade. Acho que comer pouco é, no início, mais difícil até do que comer devagar. O estômago do gordo, "dilatado" pelo enorme volume de alimentos, terá de se habituar a menores quantidades e haverá de se ressentir nos primeiros dias ou semanas. Além disso, será preciso brigar com uma compulsão psíquica de anos: a mentalidade de privação provoca na pessoa uma forte tendência a abusos periódicos.

É importante perceber que a maior dificuldade não reside na adaptação gástrica, que é rápida, se não imediata. É comum, por exemplo, que muitos gordos comam pouco durante as refeições diurnas e só se empanturrem à noite. Essas pessoas não se ressentem de sair da mesa no café-da-manhã ou do almoço parcialmente satisfeitas e saciadas. Ambas as refeições são consideradas leves e delas se espera pouco — paralelamente sabe-se que a determinação de comer de modo comedido se renova a cada manhã. Só no jantar é que a maioria dos gordos perde o controle e tudo funciona como se seu estômago tivesse crescido nas poucas horas de intervalo entre o almoço e o jantar.

Durante as refeições diurnas, mesmo quando feitas de modo mais livre, sentem a saciedade bem mais rapidamente do que à noite. É evidente que isso corre mais por conta dos condicionamentos do que em virtude do tamanho do estômago.

Da mesma forma, não são raros os que sentem pouca fome nos intervalos entre as refeições diárias, ao passo que pouco tempo depois do jantar, quando comeram grandes quantidades, estão prontos para comer novamente. O metabolismo da glicose pode influir nisso, mas a subjetividade e os condicionamentos influem mais ainda.

São, pois, sábios os conselhos maternos que dizem que se deve sair da mesa no final das refeições ainda em condições de comer mais alguma coisa, bem como se deve sempre deixar alguma coisa sobrando no prato.

Talvez a própria idéia de uma sobremesa doce e gostosa tenha muito que ver com o que estamos dizendo, especialmente se observarmos o comportamento das crianças. Elas distinguem claramente o comer como necessidade orgânica de se fortalecer e crescer saudável do comer como fonte de prazer. Comem a carne e as verduras do prato principal até o ponto em que a mãe esteja satisfeita, para depois irem atrás do doce, que é a sua verdadeira fonte de prazer. Comem o mínimo necessário da comida salgada, mesmo quando gostam dela, para terem direito aos prazeres do doce; e é claro que sempre deixam um "lugar" para a sobremesa, que é a parte da refeição mais valorizada.

Os gordos são os que, como regra, não comem a sobremesa, porque ela é muito calórica e eles estão sempre de dieta. Não têm razão alguma, portanto, para deixarem "lugar" no estômago. Tratam de comer o máximo que conseguem durante a refeição, até que não seja possível entrar mais nada. Substituem o prazer gustativo legítimo pelo duvidoso prazer de se sentirem saciados ao limite, sujeitos até mesmo a certa indisposição física. Além disso, como é que uma pessoa que vive em eterna escassez poderá dar-se ao luxo de deixar um pouco de comida no prato? Seria o mesmo que pedir isso a um faminto.

A criação de hábitos alimentares mais adequados — e que, de certa forma, podem ser chamados também de mais sofisticados — é de extrema valia para atingir o objetivo final: retomar o prazer de comer. É preciso voltar a comer com alegria, como uma grande "curtição" que nossa espécie associou à necessidade orgânica de sobrevivência.

Quase todos os verdadeiros prazeres do ser humano estão acoplados à satisfação das necessidades físicas elementares, e a alimentação não foge à regra.

O gordo deverá empenhar-se para conseguir livrar-se da falsa idéia de que quanto maior for o prazer associado à comida, maior será a tendência a se empanturrar e, portanto, a engordar ainda mais.

A maioria dos magros é a prova indiscutível de que isso não é verdade. Do mesmo modo, não é verdade que o magro é aquele que não gosta de comer; existem alguns que são assim, mas são exceções.

A tendência a comer depressa e muito não tem nada que ver com o prazer gustativo, e sim com condicionamentos que conduzem as pessoas a uma compulsão, a algo praticado de modo descontrolado e em desacordo com a razão. Na raiz dessa ingestão descontrolada está a "mentalidade" de gordo que se forma dentro das pessoas e que as faz viver a questão alimentar como se estivessem eternamente em privação.

Os hábitos alimentares mais adequados estão voltados para o máximo usufruto dos prazeres gustativos, e não têm sentido por si, isoladamente. Para atingir o objetivo de deixar de ser gordo, é necessário que esses novos hábitos sejam associados a outras alterações de conduta e de estado de alma ligados à alimentação. Tais alterações deverão inclusive funcionar como reforços positivos para o estabelecimento e a perpetuação desses novos hábitos, que só ganharão a estabilidade desejada se fizerem parte de uma postura consistente acerca do comer. É o que veremos em seguida.

COMER DE TUDO E A QUALQUER MOMENTO

O objetivo a ser perseguido agora é o de acabar com o "espírito de privação" que é, ao meu ver, um dos pontos nevrálgicos da questão da obesidade.

Uma pessoa magra terá dificuldade em imaginar que justamente aquelas de maior peso e que sentem grande compulsão para comer demais são as que vivem um estado de privação. A impressão inicial é exatamente o contrário, isto é, de que os gordos vivem para comer e que adoram os abusos.

Na verdade, o gordo pensa na comida o tempo todo, porque vive se preparando para não abusar. Vai para a mesa do café-da-manhã já pensando em comer pouco; durante essa refeição já está pensando no almoço, que é a próxima ocasião em que terá acesso à comida e que será também mais uma batalha para tentar se controlar. O mesmo acontece do almoço para o jantar, cujo intervalo — maior — poderá maltratar-lhe com a terrível sensação de fome e para a qual não deverá lançar mão de nenhum recurso, a não ser sob pena de transgredir os seus propósitos — coisa que acontece quase que permanentemente — e se sentir culpado e deprimido.

Em certa hora não suportará tanta privação e abusará violentamente. As outras pessoas percebem apenas o abuso, uma vez que o gordo é mestre em dissimular suas depressões e frustrações íntimas relativas ao seu peso.

Os magros, por outro lado, têm uma relação normal com a comida e por isso mesmo se preocupam muito menos com o assunto. Vão para a mesa do café-da-manhã com alguma fome e sem nenhum propósito especial. Se alimentam até a saciedade e imediatamente param de pensar no assunto. O tema lhes volta à mente quando voltam a sentir fome — o que não depende em nada do relógio e está em função apenas da fisiologia do corpo. Comem o que tiverem vontade e não se empanturram, porque sabem que poderão comer de novo a qualquer momento, mesmo que seja poucos minutos ou horas depois da refeição oficial. De novo, param de pensar no assunto e se dedicam naturalmente aos seus outros interesses até que a fome reapareça.

Pode-se dizer, portanto, que os magros são muito menos obcecados pelo tema da comida, que pensam muito menos no assunto. Isso ocorre não porque gostem menos de comer, mas porque vivem um espírito de fartura.

É bom ressaltar de novo o fato de que a nossa razão se ocupa mais da escassez — fator de sofrimento — do que da bonança — fator positivo, em relação ao qual agimos com displicência.

Meu objetivo é convencer o gordo de que o mais adequado é justamente tratar de imitar os magros, pois são o exemplo de como manter uma relação adequada com este prazer/necessidade que é o comer.

Não é justo dizer que os magros só comem por necessidade e que os gordos são os que "vivem" desse prazer. Ao contrário, quem fica contando calorias e se recriminando por excessos está muito longe de estabelecer uma relação de prazer com o ato de se alimentar.

Os gordos têm de imitar os magros e passar a comer de tudo o tempo todo. Isso não significa, é claro, gastar todo o nosso tempo comendo — coisa que eles também não fazem, uma vez que, depois de alguns dias, o próprio organismo desenvolveria uma aversão pelo abuso. O objetivo é exatamente o oposto: acabar com o mito da comida e, principalmente, de certos alimentos.

Os gordos idolatram certos pratos — especialmente os de alto teor calórico, ou seja, os que "se destinam apenas aos magros" — e vivem pensando neles do mesmo modo que alguns sonham em ter um carro novo. E agem assim porque seus direitos e seu acesso estão interditados. Se a interdição acabar — e isso é tarefa de nossa razão —, elimina-se a idolatria e se caminha na direção da cura.

A cura significa uma relação normal e sem obsessões com a comida, o que só é possível se não houver interdições alimentares.

É evidente que proponho isso depois de me referir à necessidade de alterar os hábitos alimentares e de levar os gordos a uma relação essencialmente de prazer com a comida, e não de volume.

O fato de poder comer de tudo e a qualquer hora reforça muito a tendência para comer menos, pois as pessoas não precisam agir como o camelo e se equipar para prolongadas privações. Podendo comer de novo a qualquer momento, desobrigam-se da tendência a condicionar a fome às horas específicas e passam a consultar o estômago e não o relógio para saber se estão com fome ou não.

E mais, torna-se possível para o gordo, de repente, tomar um sorvete ou um refrigerante, comer um salgadinho apenas por prazer, por estar com vontade. Não é mais necessário alimentar-se apenas quando a fome é insuportável.

A verdade é que, nessas condições, a tendência ao abuso é máxima. **Os gordos, que se descontrolam quando estão com muita fome, têm de recuperar a relação natural com a comida como fonte de prazer gustativo e não apenas como remédio para a dor de estômago.**

Quando se está sem fome, o beliscar não tem relação com o volume ingerido, o que é difícil de ser entendido pelo gordo, que só conhece o ato de se alimentar para se saciar e quando não agüenta mais a fome.

É o gordo quem tem uma relação utilitária com a comida: ela existe para tirá-lo da dolorosa sensação de fome. Na ausência desta, conforme se condicionou, deve abster-se da ingestão de qualquer alimento. Mas, na prática, tal comportamento é muito difícil, pois é comum que o gordo esteja na companhia de pessoas que não tenham essa relação com a alimentação, e que, por exemplo, todos tomem um sorvete, menos ele. A sensação íntima é péssima, de vítima, de prejudicado pelo destino. Numa oportunidade em que a sua força de vontade fraquejar, ele tomará três sorvetes em vez de um.

Só há um modo de acabar com o "espírito de privação", que, como já afirmei, é um importante fator de redução dos gastos energéticos do corpo e a razão principal para os abusos periódicos dos gordos: acabar com a privação. E ela só será exterminada quando o indivíduo, depois de se habituar à idéia de comer um pouco de cada vez, se atribuir o direito de comer o que tem vontade e a qualquer hora.

Talvez no início tenda a abusar um pouco justamente daquelas comidas que se transformaram em mito, ou seja, aquelas que ele não tinha direito de comer, que eram só para olhar ou sonhar com. Mas aos poucos os mitos desaparecerão e irá embora também o desejo exagerado.

Com o fim da privação desaparecerá a obsessão pelo assunto e a tendência absurda, própria dos gordos, de sempre ficar pensando ao longo dia no que comerá no jantar.

Alguém poderia perguntar: "E se eu passar a comer de tudo, mesmo em quantidades normais, e engordar ainda mais?" Essa pergunta remete de novo à questão da influência da razão nos processos de cura. Se o conjunto de conceitos que estou desenvolvendo aqui representa, de fato, uma explicação consistente e convincente para o indivíduo, ele terá a coragem de experimentar. E experimentar por um tempo razoável, uma vez que é fácil compreender uma tendência inicial para o abuso, própria de quem ficou tantos anos privado (o que costuma desaparecer em poucos dias).

A resposta final à questão será dada pela experiência concreta: se a pessoa passar a perder peso, desaparecerá a dúvida; se engordar, a tese anterior, a da necessidade de privação, será confirmada. O meu objetivo é o de convencer racionalmente o gordo e levá-lo a experimentar. Se minha tese for lógica e verdadeira, o resultado será positivo. É mais que evidente que acredito sinceramente nisso, caso contrário não teria escrito este livro.

As dúvidas tendem a crescer justamente porque a proposta aqui formulada é muito agradável. Comer de tudo e emagrecer é "bom demais". "Quando a esmola é muita, o santo desconfia". Para nós, contaminados pela ética do sacrifício, só são possíveis soluções dolorosas e sofridas, pois elas é que têm grandeza e são tratadas como virtudes.

Acontece que ser gordo e ainda por cima viver em privação corresponde a um sacrifício tão grande e a uma tortura tamanha que a cura desse círculo vicioso terá de vir acompanhada do acréscimo de grandes quantidades de prazer, que trará consigo enormes vantagens.

Acabar com o espírito de privação significa terminar com o sofrimento, pôr fim às preocupações exageradas com o tema da alimentação, tanto no sentido de se prevenir contra abusos como no de ficar sonhando com aquela macarronada que só poderia ser comida num dia especial.

Uma pessoa pode estar até dentro do seu peso normal e ainda viver em clima de privação. Para isso, basta que faça dieta durante a semana para se soltar nos fins de semana. Do ponto de vista calórico, essa solução pode até ser eficiente, mas do ponto de vista psíquico é péssima.

A ideologia que governa as pessoas que fazem dieta nos dias de semana é a mesma que está presente nos gordos, mesmo que "estejam" magras. É provável que o metabolismo delas seja baixo, como o dos gordos. A "alma" delas é de gordo. Além disso, o sofrimento é enorme, pois durante o fim de semana as pessoas se soltam e comem de tudo e em quantidades enormes. Na segunda-feira terão de passar por uma experiência de extremo sacrifício e renúncia, uma vez que haverá uma quebra dramática das regras vigentes nos dois dias anteriores. O sofrimento se atenua com o passar dos dias, já que o corpo vai se acomodando ao novo equilíbrio, além do fato de que as pessoas já começam a antegozar os prazeres do próximo fim de semana.

Na realidade, a pessoa vive de privações e abusos e seu organismo não apresenta um ritmo estável nem mes-

mo saudável. A condição é de um viciado que adquiriu certo controle sobre seu vício, mas está longe da cura.

Tal comportamento também se repete em relação ao sono: as pessoas dormem até tarde no sábado e no domingo – perdendo com isso bons momentos de lazer – e depois não conseguem dormir direito de domingo para segunda-feira, acordam cedo e passam o dia péssimas; o ritmo se normaliza lá pela quarta-feira e se desorganiza de novo três dias depois. Nada disso me parece muito inteligente, mas o processo é sempre o mesmo: as pessoas que dormem pouco sonham com o dia em que podem dormir à vontade e aí abusam.

Além disso, a privação durante a semana e a liberdade — que vira abuso — nos fins de semana determinam duas conseqüências maléficas. A primeira delas é um excesso de privilégios relativos ao lazer e ao descanso, atribuindo-se aos dias de trabalho um peso negativo cada vez maior, o que pode contribuir muito para uma visão pessimista da vida produtiva, o que, a meu ver, é algo que merece uma reflexão bem mais sofisticada.

A outra se refere à perpetuação do mito da comida e, em especial, de certas comidas mais calóricas, que só podem ser comidas em dias especiais. E isso está em clara oposição à minha proposta: é preciso recuperar uma relação de prazer — e totalmente desmitificada — com a alimentação, sob pena de mantermos uma inexorável tendência aos abusos.

Nenhum desses ardis leva à cura da obesidade. Eles, na realidade, partem do princípio de que ela não tem cura e que ao gordo cabe apenas buscar "quebra-galhos" espertos para poder equilibrar-se.

Acontece que eles servem apenas para perpetuar os círculos viciosos já descritos e assim reforçar a tese de que não há mesmo cura (mais uma das famosas "profecias que se realizam").

Não é esse meu ponto de vista, uma vez que tenho conhecido pessoas que realmente se curaram de suas obsessões alimentares e ficaram magras de verdade. O fato de serem poucos os casos de verdadeira cura não deve ser motivo de desânimo. Ao contrário, pois, se houver um único caso assim, é porque a cura é possível; e, se ela é possível, deverá ser perseguida com obstinação.

As pessoas curadas dizem o seguinte: "Antigamente eu era gordo; hoje eu como de tudo e o meu peso é estável". É essa a fala da pessoa que se livrou da armadilha da obesidade e não: "Faço dieta durante a semana e me solto mais nos fins de semana; consigo, assim, equilibrar o meu peso".

Todo dia é dia de ter vontade de comer e de beber. E quem esperar pelo domingo vai comer e beber em dobro.

É necessário recuperar a naturalidade e comer porque estamos com vontade e não porque é sábado ou porque são oito horas da noite. O estômago não conhece esses regulamentos, que são interferências da razão. Comer e beber são coisas gostosas, mas estão exageradamente endeusadas por essa mentalidade de privação relativa aos dias de semana e também por uma idéia exagerada de que elas são a forma máxima de divertimento humano.

Ir a um bom restaurante, comer uma comida especial e tomar um bom vinho parece ser o que de melhor pode existir no mundo para muitas pessoas. Será que é isso mesmo ou será que essas coisas estão superdimensionadas em conseqüência da mentalidade de privação?

A naturalidade em relação ao comer pode tirar um pouco de seu charme, maior para as pessoas que sonham e esperam pela hora de uma boa refeição. Porém certamente é o caminho sólido e seguro para atingir — sem sacrifícios — o peso normal.

É evidente que esses argumentos não desqualificam o uso de alimentos chamados dietéticos, que inicialmente foram formulados apenas em função de seu baixo teor calórico. Contudo, não é necessário nem conveniente que sejam usados, como muitas vezes o são, como um estímulo à ingestão de grande volume de alimento — muitas vezes desprovida de prazer —, o que está em franca oposição ao que tenho defendido ao longo deste livro.

Não é bom, além disso, que tais alimentos contribuam para a mitificação e para a idolatria dos produtos originais e de alto teor calórico. A mitificação pode nos fazer sonhar com coisas das quais nem gostamos muito. Por exemplo: qualquer pessoa privada do consumo de refrigerantes poderá sonhar com eles; se tiver livre acesso, poderá perceber que não são tão saborosos, e não são raras aquelas que concluirão que sua preferência recai sobre um suco natural de frutas ou mesmo aqueles adoçados artificialmente.

Os avanços da medicina, especialmente no que diz respeito à prevenção das doenças degenerativas precoces, recomendam para gordos e magros que se use o mínimo de açúcar refinado, que se evitem alimentos muito ricos em colesterol — ovos, leite integral, manteiga, por exemplo — em quantidades exageradas, bem como as gorduras saturadas — especialmente as de origem animal. Isso não deve ser tratado como novas privações, porque o que se indica para as pessoas sadias é que seu uso seja moderado.

Essas recomendações, junto com as que sugerem que se deixe de fumar e se aumente a atividade física, têm por objetivo principal atenuar os riscos de doenças vasculares, cuja incidência em pessoas jovens cresceu nas últimas décadas; e esse crescimento é o alerta para a prevenção das chamadas doenças da civilização.

Liberdade de comer de tudo implica poder voltar a experimentar, sem idolatria, todo tipo de prato e fazer um juízo atualizado sobre sabores e verdadeiras preferências em relação aos alimentos.

Pessoas gordas idealizam e valorizam sempre o que lhes foi privado, ao passo que tendem a desqualificar o que era autorizado pelas dietas. Talvez possam descobrir, por exemplo, que adoram salada de alface e palmito, "apesar" de ser um prato pouco calórico e fazer parte das comidas "próprias dos que fazem dieta". Talvez descubram que não gostam daqueles molhos sofisticados, ricos em creme de leite, que nunca puderam comer — ao menos em paz. Podem preferir melão

e melancia a banana e abacate, café sem açúcar ao adoçado. Ao mesmo tempo, provavelmente adorarão um sorvete em certas horas, assim como uma cerveja bem gelada em uma noite de calor. Não deixarão de se deleitar com esses prazeres legítimos, já que estarão livres da idéia de que se trata de grave crime e severa transgressão. Dessa forma, tudo fica muito bom, apesar de bastante mais simples. A cura é isso!

NÃO SE PESAR E NÃO CONTAR CALORIAS

Outro aspecto complicado da vida do gordo é a sua relação com a balança. Quando ele está com o peso alto e "oficialmente" não está fazendo dieta – insisto em que, intimamente, o gordo está sempre tentando se controlar –, desenvolve um verdadeiro pavor da balança. Ela é o seu inimigo máximo, aquela que poderá anunciar a verdade insuportável: "Você ultrapassou todos os seus limites anteriores, você está horrível, sua deformação é intolerável".

A balança, mais até do que o espelho, pode denunciar tudo isso. É claro que se justifica plenamente essa aversão a subir nela, uma vez que nesse caso a verdade será uma péssima notícia.

Quem está se empenhando em alguma dieta sobe na balança todos os dias, e às vezes várias vezes por dia. Nesse caso, é dela que recebe a nota, sinal de que está indo bem e seu esforço está sendo recompensado. Quando isso não acontece, sente-se profundamente decepcionado e deprimido. Nesse caso, reagirá de uma das seguintes formas: ou radicalizará ainda mais a dieta — é evidente que só por alguns dias — ou vivenciará o enfraquecimento imediato da força de vontade e o conseqüente aumento na ingestão de alimentos de todo tipo.

Nessa segunda hipótese, a pessoa deixará de freqüentar a balança e, por certo período, voltará à situação inicial de pavor diante dela. O pavor, é claro, será muito maior se houver outras pessoas por perto, pois o deboche é quase inevitável. Isso provocará grande tristeza íntima, que o gordo tratará de esconder dos outros — o que, de certo modo, reforça a tendência dos observadores a agir daquela forma, já que o gordo parece absorver bem as "brincadeiras".

O humor do gordo que está em dieta, que é o seu estado mais freqüente, depende quase exclusivamente de quanto ele pesar no dia.

Sempre é bom lembrar que a água corresponde a mais de dois terços do peso corpóreo e sua eliminação ou maior retenção depende de vários fatores, que não têm relação direta com a ingestão de maior ou menor quantidade de calorias. Desse modo, poderá haver variações de um a dois quilos, sem que isso signifique que a pessoa engordou ou emagreceu efetivamente.

Quando se inicia a dieta, costuma haver uma redução de volume de água na quantidade citada — graças à diminuição da ingestão de sal — e o resultado assim positivo gerará grande otimismo. Porém esse ritmo de perda de peso não se sustentará ao longo das semanas seguintes e o otimismo será substituído por pessimismo de igual dimensão, cujas conseqüências já são nossas velhas conhecidas.

A maioria dos magros não tem balança no banheiro. Sabe de sua condição física pelas roupas. Tende a manter o peso constante sem a necessidade de nenhum esquema regulador especial. Deixa o organismo agir com naturalidade, por conta própria.

É provável que, nessas condições, ele funcione melhor, o que acaba determinando um equilíbrio no processo de ingestão dos alimentos, que resulta apenas na produção da quantidade de energia necessária para o bom funcionamento do organismo. Toda a interferência da razão em processos que devem ser automáticos leva a resultados catastróficos.

Pesar-se com muita freqüência significa um empenho brutal para tentar influir no processo orgânico e tirar toda a sua espontaneidade.

Penso que ficar contando as calorias dos alimentos e fazendo contas de quantas foram ingeridas no dia também se trata de tentativa de "intromissão" da razão em um processo natural.

Essa matemática toda só serve para reforçar a mentalidade de que se vive em estado de escassez, revitaliza a obsessão pelo controle de processos orgânicos, além de lembrar o gordo o tempo todo de sua condição de exceção "patológica" e esteticamente abominável, o que o coloca cada vez mais na camisa-de-força derivada do estado de privação, uma vez que isso reduz o gasto de calorias.

Não adianta nada ficar comendo aspargos e bebendo refrigerantes dietéticos se isso provocar na subjetividade da pessoa enorme frustração por não estar comendo patê com pão e manteiga e bebendo refrigerantes normais.

Do ponto de vista do cálculo de calorias, não há dúvida quanto às vantagens do aspargo. Mas a frustração determina a redução do metabolismo — além da tendência a graves abusos em momentos posteriores — e, de repente, os aspargos podem engordar mais do que o patê. E, o que é mais triste, ao comer aspargos apenas por causa do seu baixo teor calórico, perde-se a objetividade para apreciar o seu delicado sabor.

Assim, dificilmente um prato desse tipo seria escolhido livremente se a pessoa não estivesse em dieta. O aspargo vai para a categoria das coisas que o gordo pode comer e por isso mesmo perde todo o seu interessante sabor.

Para o gordo, boas mesmo são as comidas proibidas! Esse tipo de raciocínio sobre assuntos alimentares, além de nos induzir a vários erros de avaliação a respeito de diversas comidas, nos leva a privilegiar como mais saborosas as de alto teor calórico, apenas em virtude dessa propriedade. Ora, aqueles que não conhecem as tabelas reproduzidas em todos os livros de dieta terão muito mais objetividade para distinguir o que verdadeiramente lhes dá prazer ao comer. Assim, além de seguir tudo que foi dito até agora, quem quer emagrecer precisa também "desaprender" tudo que sabe sobre contagem de calorias, assim como tudo que pensa acerca da velocidade ideal de perda de peso.

O objetivo é restaurar a naturalidade do organismo para cuidar dessas coisas. Funciona mais ou menos assim: a razão faz a sua parte, qual seja, fazer a pessoa ingerir lentamente uma quantidade adequada de todo tipo de alimento, dando preferência àqueles de alto teor nutritivo e adequados à boa saúde física. A razão deve interferir também na conservação da disciplina necessária para manter a atividade física adequada para a ótima disposição orgânica. O corpo certamente cumprirá a sua parte, que é a de regular adequadamente o metabolismo energético e evitar o excesso de peso, que é nocivo e, por isso mesmo, contrário à natureza. Porém a razão terá de confiar no corpo, entregar-se a ele, em vez de querer dominá-lo.

Isso é difícil, pois está em total descompasso com tudo que aprendemos até agora. É difícil, mas é possível de ser atingido. É deixar de ter uma atitude autoritária em relação a certas partes de si mesmo e tratar de aceitar um convívio democrático, cooperativo e descentralizado com instâncias que só agem bem se forem investidas da autonomia e da confiança que elas merecem.

QUEBRAR O ESTIGMA DA OBESIDADE

Não creio que seja de qualquer serventia a atitude da maioria dos gordos de procurar dissimular quanto sua condição os incomoda, os frustra e os faz infeliz. Sempre que alguém se envergonha de uma limitação, tende a esse tipo de atitude dissimulada, que tenta evitar as críticas e ironias.

Se uma pessoa, por exemplo, tem medo de andar de elevador e vergonha de que os outros percebam isso, acaba, na prática, tendo dois problemas. Gastará mais energia psíquica no esforço de esconder sua fobia do que para efetivamente tentar se livrar dela. **Assumir publicamente qualquer dificuldade é o primeiro passo para poder dedicar-se a ela com maior possibilidade de resolvê-la.**

Talvez outro exemplo seja ainda mais contundente: um homem com dificuldades sexuais e que seja suficientemente corajoso para "confessá-las" a uma eventual companheira estará muito mais próximo de conseguir se livrar do problema do que aquele que fingir não ter nenhuma disfunção e tentar — em vão — se comportar com serenidade e naturalidade.

O esforço para a dissimulação esgota as energias e faz que a razão se dedique mais do que tudo a essa tarefa em prejuízo do essencial, que é tratar de resolver a dificuldade.

No caso da obesidade essa postura é ainda mais descabida, uma vez que o problema é ostensivo; pode-se tentar dissimular apenas quanto se sofre.

Acho que a conduta digna é assumir, principalmente perante as pessoas que interessam, as limitações; não há razão para se envergonhar, a menos que se tenha o desejo secreto da perfeição, resíduo das onipotências infantis mal resolvidas.

Com o passar dos anos, todos nós estamos sujeitos a erros e a usar atalhos destrutivos de todo tipo, dos

quais a obesidade é apenas um dos muitos exemplos. Conviver com pessoas que se decepcionem conosco por não sermos "perfeitos" nos fará mal; para não perdermos sua admiração ou afeto teremos de nos transformar em falsos e fingidos.

É melhor perder afetos do que tê-los sustentados por mentiras, uma vez que isso faz a pessoa se sentir um blefe, permanentemente ameaçada de ser desmascarada e, aí sim, rejeitada com toda a razão.

Quando o gordo finge que não sofre com sua condição, creio que não engana muitas pessoas. Se o gordo declara, com toda a veemência, como se sente agredido com as gozações, isso obrigará os "agressores" a cessar com as "brincadeiras".

Ao se assumir frustrado, doente mesmo, pelo fato de ser gordo, o indivíduo já estará dando um passo enorme na direção da resolução das questões relacionadas com o convívio com aqueles que lhe são próximos.

Não creio que devamos esperar que as pessoas nos aceitem do modo que somos, pois este raciocínio é ilógico, além de ser muito conformista. Podem existir pessoas que nos aceitem como gordos, como egoístas, como muito agressivos e implicantes etc., mas as pessoas não têm de nos aceitar por decreto, qualquer que seja nosso modo de ser.

Quem deseja ser aceito, admirado e querido pelos outros terá de ser agradável a eles. **Se a aparência física do gordo é percebida como desagradável pela grande maioria das pessoas, ele só será aceito quando deixar**

de ser gordo. É esse o objetivo e não o de se criar a imagem do "gordo feliz" e benquisto pelo meio social apesar de sua condição.

Ao assumir-se como doente, o gordo poderá dizer a si mesmo: "Eu estou gordo, não sou gordo". Poucas pessoas são gordas por razões físicas inatas. A maioria entrou nesse círculo vicioso que conduz à obesidade crônica.

O sofrimento íntimo do doente é grande e isso significa que ele não tem a menor condição de se aceitar como tal. **Ou seja, mesmo que o gordo fosse muito bem-aceito pelas outras pessoas com as quais convive, ainda assim não ficaria satisfeito. Para se sentir gratificado com a aceitação externa é necessário que haja também a aceitação interna.**

De todo modo, assumir-se intimamente como quem está doente e se colocar publicamente como criatura infeliz por causa de seu problema — e infeliz apesar de poder estar contente em outros setores, porque uma gratificação não neutraliza uma frustração — pode imediatamente começar a alterar algumas atitudes físicas, já que o gordo costuma ser muito discreto em seus gestos em virtude da vergonha de chamar a atenção sobre si e do pavor de ser ridicularizado. Não será mais objeto de ironias, pois já declarou quanto isso o magoa — e isso desarma os que gostam de maldade sutil. Poderá então recuperar seus gestos espontâneos há muito perdidos, seu gosto pela dança, seu fascínio pelos esportes etc.

A postura quase estática do gordo, derivada, em parte, da natural diminuição da mobilidade provocada pelo excessivo volume corpóreo e em parte maior pela vergonha, pode se alterar e dar lugar a uma gesticulação normal, em que se fala também com as mãos e, até certo ponto, com o corpo inteiro.

Essa gesticulação espontânea é própria das crianças e, em parte, se perde na grande maioria dos adultos — em especial nos gordos. Os adultos educados e de boa posição social devem comportar-se da forma mais polida possível, o que em nossa civilização significa o mínimo de gestos e mesmo de expressões faciais. Quanto mais impassível melhor, mais bem-educado e mais formal.

As pessoas deveriam empenhar-se em reencontrar sua expressão corporal, sendo isso particularmente verdadeiro para os gordos, até porque essa é uma das formas de aumentar os gastos energéticos e de construir um dinamismo orgânico mais relacionado com a alegria do que com a depressão.

Apesar da deformação orgânica derivada da obesidade, é extremamente importante que aqueles que querem deixar de ser gordos tratem de recuperar o interesse pelas atividades físicas.

Não creio que seja muito fácil uma pessoa se sentir bem física e/ou psiquicamente mantendo uma vida extremamente sedentária.

A ansiedade e a depressão tendem a se intensificar muito quando a pessoa não faz nenhuma atividade física. A idéia de que os exercícios aumentam a fome não parece verdadeira; nem o seu inverso, como dizem algumas pessoas.

Não creio que as atividades físicas interfiram no apetite, mas tenho certeza de que interferem no bem-estar emocional, e esse interfe favoravelmente no apetite da pessoa. Sim, porque um estado de espírito adequado faz a razão mais forte e por isso mesmo mais capaz de administrar e dirigir a vida para onde se queira.

Os que gostam de dançar que o façam; os que gostam de correr, de jogar tênis ou de nadar não deveriam esperar pelo emagrecimento para depois se dedicar aos seus interesses.

O gordo costuma deixar tudo para depois de conseguir emagrecer, inclusive as atividades que seriam capazes de contribuir para a perda de peso.

Proponho o seguinte: o gordo deve fazer de tudo desde já, normalizar a vida em todos os sentidos e acreditar que justamente essa atitude — tanto no que diz respeito à alimentação como em relação à atividade física — o ajudará a atingir o objetivo de deixar de ser gordo.

Insisto que tal comportamento é bem diferente de conseguir emagrecer por meio de uma dieta rigorosa e temporária.

O indivíduo pode deixar de ser mentalmente gordo enquanto ainda está fisicamente gordo, pois deixar de ser gordo é passar a agir, a se movimentar, a se alimentar e a pensar em si mesmo como sendo uma pessoa normal. É esse o momento da cura, não aquele em que se está diante da balança registrando o peso desejado há tanto tempo.

A perda de peso ocorrerá naturalmente ao longo dos meses, contanto que o indivíduo viva desde agora de modo saudável, não obcecado por privações e por vergonhas de toda ordem.

É importante ressaltar também (com o intuito de enfatizar a idéia de que se quebra o estigma da obesidade enquanto ainda se está gordo) outra alteração que considero importante que aconteça logo diz respeito ao fato de as pessoas assumirem sua vaidade física.

Os gordos sempre estão aguardando o dia em que ficarão magros para sair às compras de roupas e outros adornos. Partem do princípio de que uma pessoa mais gorda será sempre um tanto repugnante, mesmo que esteja coberta de ouro. Desenvolvem com isso mais um mecanismo de frustração e de privação, pois aqui também observam os outros a se enfeitar — e, é claro, a tirar grande prazer disso — e não acham que têm condições de fazer o mesmo.

Não estou discutindo a questão estética — quase todos consideramos a obesidade pouco atraente. Mas o indivíduo que está gordo — e não é mais gordo —, quando se enfeita e se cuida, apesar de talvez não despertar grande interesse nos outros, estará ativando uma atitude positiva para consigo mesmo e com sua aparência, coisa que sem dúvida será mais um estímulo à mudança de hábitos e posturas necessárias para vir a ser magro definitivamente.

Outra vez é o mesmo processo: é preciso ativar a vaidade física desde já para que ela funcione como mais um estímulo para emagrecer, e para que a priva-

ção das gratificações derivadas da vaidade também não aja como um agravante do estado depressivo.

EVITAR A DEPRESSÃO RELACIONADA COM A OBESIDADE

São inúmeras as causas de depressão entre os obesos e a elas já nos referimos no decorrer deste texto. O gordo está quase que permanentemente deprimido, porque está muito insatisfeito com sua aparência.

A vaidade humana está altamente relacionada com a capacidade de chamar a atenção positivamente, de atrair olhares de admiração ou de desejo. Se os olhares são de deboche, é evidente que despertam o inverso, ou seja, uma profunda sensação de humilhação. E quando uma pessoa tem de si um mau juízo, pode tomar como depreciativo todo tipo de olhar. Nada deprime mais o ser humano do que se sentir humilhado.

O gordo também costuma ser mais deprimido em decorrência dos sucessivos fracassos em levar a cabo as dietas e atingir plenamente o objetivo ansiado. Começa com muitas esperanças, não consegue atingir os resultados pretendidos e se deprime. Deprime-se também porque vive um estado permanente de privação, impedido de satisfazer suas vontades.

Isso é ainda mais doloroso porque, no convívio social, não pode acompanhar o estilo de vida dos magros, o que acaba por fazer do gordo uma criatura invejosa e sedenta de sucesso em outras áreas de atividade.

Deprime-se de novo porque não suporta a privação por longo tempo e transgride suas regras e propósitos,

o que gera sentimentos de culpa, como se tivesse traído a expectativa de outras pessoas – na realidade a sua própria. Deprime-se também porque não se sente à vontade para gesticular, para dançar, para correr, para nadar. Deprime-se diante da idéia de ir à praia, pois se sentirá inferiorizado em relação aos outros. Deprime-se quando vai comprar uma roupa e nada de bonito lhe serve. Deprime-se quando caminha pela rua e os meninos fazem algum tipo de deboche. Deprime-se porque seus pés doem e suas costas também. E assim por diante.

É evidente que muitas dessas razões para a depressão só poderão desaparecer quando a pessoa deixar de ser gorda e tiver vencido esse círculo vicioso que conduz à obesidade. É importante ressaltar mais uma vez que essa condição é geradora de enorme sofrimento psíquico, difícil de ser avaliado por aqueles que não experimentaram a situação na própria pele.

Parece difícil para a maioria das pessoas levar a sério essa condição de doença — é doença ao menos do ponto de vista psíquico, uma vez que implica enorme dor e tensão naquele que é portador dela. Talvez essa dificuldade de imaginar o grau de sofrimento seja ainda mais agravada exatamente pelo fato de os gordos fazerem enorme força para esconder a verdade e mostrar que não sofrem.

É difícil imaginar que alguém que se olha no espelho e se observa deformada possa estar verdadeiramente alegre e feliz. Ainda mais difícil levando-se em conta que ela

se encontra nesse estado por sua "culpa" e depende apenas de si mesma para se modificar.

O processo de cura é, em aparência, muito simples, mas o indivíduo não consegue ter sucesso. A condição é terrível, porque a depressão aumenta a sensação de abandono, que aumenta o vazio no estômago, que está associado, nas pessoas gordas, à sensação de fome. Ela se atenua com a alimentação, que é ao mesmo tempo alívio de depressão e fator gerador da depressão seguinte.

Comer como remédio para a tristeza de ser gordo não é uma boa política, apesar de que acaba se estabelecendo certo equilíbrio em torno dessa solução, precária, mas muito estável — tanto que pode durar vários anos.

A depressão altera o metabolismo e, segundo creio, o diminui bastante; isso contribui para que o gordo aumente de peso com mais facilidade, o que o deprimirá ainda mais. Caso se empenhe em uma dieta rigorosa, a privação também levará à diminuição do metabolismo, aumentando as possibilidades de que um enorme esforço produza resultados medíocres, o que agravará a depressão e contribuirá para que haja transgressões à dieta e novo aumento de peso.

A depressão leva à astenia física — preguiça, fraqueza muscular, falta de disposição para se exercitar —, e isso também reduz o metabolismo, agravando o fato de o gordo ter vergonha de seu corpo e só por isso já tender a se movimentar o mínimo possível.

Fica mais que evidente que as rigorosas dietas para emagrecimento rápido e que impõem uma condição psíquica de extrema privação de alimentos só poderão ser de alguma eficácia se estiverem associadas a uma medicação estimulante do humor.

Tal medicação poderá camuflar a depressão maior — e impedir a dramática queda nos gastos energéticos que essa condição determina. Isso redundará em alguns resultados enquanto as pessoas usarem a droga, da qual com freqüência se tornam dependentes. Sua supressão determina uma forte reação depressiva e a conseqüente tendência a comer demais.

O fato, raro, de que algumas pessoas conseguem emagrecimentos estáveis por essa via não justifica os riscos de malefícios à saúde e ao equilíbrio emocional. Algumas pessoas conseguem passar por longos períodos de privação sem se deprimirem e aí conseguem perder peso. Porém, na minha experiência, elas continuam a agir e a pensar como se fossem gordas, uma vez que são portadoras do quadro mental que descrevi.

A maioria das pessoas pensa na dieta como uma espécie de sacrifício temporário, como algo que as leva a emagrecer para poder voltar a se fartar sem culpa. É claro que essa postura levará a pessoa a engordar tudo de novo, pois durante o sacrifício próprio do regime ela terá mitificado todas as comidas às quais não teve acesso nesse período doloroso. Estará sonhando com elas e lhes atribuindo uma importância indevida.

Não é esse o caminho que leva alguém a deixar de ser gordo; a solução é acabar com os mitos ligados à alimentação e recuperar a relação de prazer natural que essa função tem na nossa espécie e que se acopla às necessidades de sobrevivência próprias de todos os animais.

Só há um caminho seguro para evitar qualquer tipo de círculo vicioso associado à obesidade: recuperar a forma simples e espontânea de comer que têm todos aqueles que não estão obcecados pelos quilos a mais.

Que se faça desde já a mudança de hábitos alimentares e da postura relacionada com o comer que tratei de descrever em detalhe.

Que o gordo imediatamente passe a se ver como uma pessoa normal e aceite que a redução do seu peso se dará de forma gradual, ao longo de meses de vida alegre e já livre das privações.

Se uma pessoa se alimentar exatamente da forma adequada para manter o seu peso ideal — e ao readquirir os bons hábitos é isso que acontecerá — e ela estiver acima desse peso, aos poucos chegará aonde deseja. Isso porque o metabolismo normal — não prejudicado pela depressão, apatia física e pela mentalidade de privação — é proporcional à superfície corporal e, por isso mesmo, maior nas pessoas mais gordas. Ou seja, ao fazer uma ingestão normal de alimentos a pessoa estará se abastecendo de uma quantidade de energia menor do que a necessária à condição atual (da pessoa com vários quilos a mais), o que conduz à lenta mas consistente redução do peso.

Não há a menor necessidade de a pessoa viver se pesando, nem de contar calorias e só se alimentar com produtos dietéticos. Tudo isso significa privação e tentativa de interferência da razão no processo natural de administração energética do corpo. Esse esforço de interferência, já sabemos, tem efeitos muito negativos.

Não há pressa em atingir o peso ideal quando já se está vivendo em condições normais, comendo como todo mundo, mais ativo fisicamente e se sentindo com direito ao livre exercício da vaidade física.

Havendo a resolução do conflito psíquico, a pessoa já estará livre e terá a certeza íntima de que agora caminha para a definitiva perda de peso. Essa certeza traz consigo o otimismo e a coragem necessários à experimentação de uma condição nova de viver. O novo, mesmo quando previsto como agradável, é sempre uma aventura e exige a coragem de se mergulhar nele. O otimismo e a ausência do sofrimento determinam o fim da depressão crônica, o que diminui a fome e facilita o estabelecimento de novos hábitos tão indispensáveis à verdadeira cura.

O ALERTA FINAL

Por favor, não subestimem o processo psíquico que chamei de medo da felicidade. Sempre que tentamos alcançar o que mais queremos, surge dentro de nós uma forte tendência destrutiva.

O gordo é uma pessoa para quem emagrecer pode muito bem ser o que ele mais deseja na vida, de modo que, ao perceber que está emagrecendo, provavelmente passará a estar sujeito aos processos sabotadores. Eles vão desde suposições de doença — medo de estar com câncer, já que está perdendo peso com facilidade, entre outros exemplos — até o surgimento de uma fome desvairada.

Apesar de não sabermos exatamente como nos livrar desses medos, é importante registrar que a simples consciência da existência de tal tipo de processo destrutivo já é um enorme fator positivo, pois a nossa razão poderá se posicionar mais adequadamente, sabendo ao menos de onde vêm os temores e mal-estares.

A compreensão do processo dá força e corresponde à arma inicial para combater esse curioso e terrível "inimigo" que existe dentro de todos nós.

É importante reafirmar que suponho que o medo da felicidade está, ao menos em parte, associado ao pensamento moral que privilegia o sacrifício como virtude e trata os prazeres como pecado. Se não como pecado, ao menos como coisa fútil e sem dignidade.

Além de o gordo se tornar muito feliz pelo fato de estar emagrecendo, a proposta deste livro é que ele venha a fazê-lo sem se sacrificar, podendo usufruir desde o início uma vida normal em relação à alimentação.

Dessa forma, o conflito moral se agrava, pois se atinge o que é mais desejado sem nenhum tipo de renúncia ou sofrimento! Ao contrário, atinge-se a felicidade de ser magro comendo exatamente como comem os magros. Parece, de pronto, que isso não pode ser possível nem verdadeiro.

Pensamos assim porque estamos por demais comprometidos com essa "ética do sacrifício", na qual a virtude está associada a tudo que é pesado. É provável

que a própria dificuldade que algumas pessoas terão de acreditar que é possível deixar de ser gordo sem qualquer tipo de sofrimento — aliás, penso que só assim se pode conseguir isso — já seja parte dos mecanismos sabotadores. Afinal de contas, todos os magros comem de tudo e têm, ao mesmo tempo, o prazer estético de terem uma aparência mais atraente. Só para os gordos, treinados no sacrifício, é que isso parece tão impossível.

As pessoas que vivem se sacrificando podem também desenvolver um importante prazer derivado de serem capazes de suportar tanto sofrimento. Podem até mesmo se sentir superiores por terem maior competência para a renúncia e a dor. Sua vaidade cresce justamente em função desse processo, tão ao gosto do pensamento religioso tradicional e tão sem sentido aos meus olhos de hoje.

A situação chega mesmo às raias do ridículo, especialmente quando implica sacrifícios totalmente desnecessários — tais como os que faziam certos padres medievais que se chicoteavam para se "purificar". Para aqueles que quiserem continuar a sofrer e a se sacrificar sem nenhum resultado positivo, recomendo as tradicionais dietas para emagrecer.

Aqueles que realmente quiserem deixar de ser gordos e se transformar em pessoas normais, não devem se esquecer de que o caminho é leve e agradável, com aumento imediato das gratificações de todo tipo.

E isso, em virtude da nossa formação moral, é vivido como excesso de privilégios, o que aumenta o medo da felicidade. E o medo da felicidade só cresce quando estamos no caminho certo e próximos do nosso objetivo. Ele é o último obstáculo, mas é também a certeza de que o sofrimento inútil da obesidade está com seus dias contados.

leia também

EMAGREÇA PELA CABEÇA

Antonio Carlos Marsiglio de Godoy

Um livro diferente, em que o médico "conversa" com o leitor, apresentando um sistema alimentar baseado em mudanças de hábitos, vivenciado pelo próprio autor. São dicas simples, claras e objetivas, que levam em consideração também os aspectos psicológicos da questão. O autor é psiquiatra e psicoterapeuta.

REF. 50031 ISBN 85-7255-031-3

LIVRO DOS ALIMENTOS

Paulo Eiró Gonsalves

Esta obra, vencedora de um prêmio Jabuti, tem tudo que pode interessar às pessoas que gostam de cuidar de sua alimentação. Além de analisar os vários nutrientes, passa em revista praticamente todos os alimentos habitualmente consumidos no Brasil, analisando vantagens e desvantagens de cada um. O autor é um respeitado médico, estudioso de nutrição, com vários livros publicados.

REF. 50027 ISBN 85-7255-027-5

COMO EU COMO?

Paulo Eiró Gonsalves

As pessoas, felizmente, têm se preocupado cada vez mais com o que comem. Mas é preciso dar atenção também a como fazemos nossas refeições, e este é o objetivo deste livro. Fatores como o horário, o ambiente, os utensílios utilizados, o aspecto visual do prato e a escolha de dietas são agregados aos sábios conselhos alimentares deste conceituado médico e escritor.

REF. 50034 ISBN 85-7255-034-8

Grupo Summus
www.gruposummus.com.br
www.gruposummus.com.br
Acesse, conheça o nosso catálogo e cadastre-se para receber informações sobre os lançamentos.

IMPRESSO NA

sumago gráfica editorial ltda
rua itauna, 789 vila maria
02111-031 são paulo sp
tel e fax 11 2955 5636
sumago@sumago.com.br